Chères lectrices,

Déjà les fêtes de fin d'année ! L'automne est passé en coup de vent, cédant bien vite la place à l'hiver… ce qui n'est pas pour nous déplaire, reconnaissons-le ! Car, en ce mois de décembre, le compte à rebours des festivités vient de commencer. Quelques semaines d'intenses préparatifs nous attendent : shopping, décoration de la maison, dégustations savoureuses en vue du réveillon. Une opulence et une gaieté bienvenues en cette saison où les jours sont si courts, et où l'on a souvent l'envie de se réfugier bien au chaud chez soi…

A ce propos, j'espère que vous êtes confortablement installées pour entamer la lecture de votre roman. Si tel est le cas, il ne me reste plus qu'à vous souhaiter de passer de très agréables festivités, en tête-à-tête ou en famille, et à vous donner rendez-vous l'année prochaine.

D'ici-là, excellente lecture !

La responsable de collection

D0756263

SANDRA MARTON

A l'âge de sept ans, Sandra Marton écrit sa première histoire et, dès lors, son rêve est de devenir écrivain. Un rêve devenu réalité puisque, aujourd'hui, Sandra Marton a publié une soixantaine de romans, et reçu de nombreuses récompenses littéraires.

Son talent est apprécié des lectrices du monde entier — des femmes de tous horizons qui se reconnaissent dans ses intrigues modernes, ses héroïnes déterminées et ses héros aussi séduisants… que passionnés !

Lorsqu'elle n'est pas occupée à écrire, Sandra Marton aime faire de la randonnée et voyager dans des pays lointains. Elle milite au sein de plusieurs organisations — associations d'écrivains, bien sûr, mais aussi de défense de l'environnement.

Mère de deux grands fils, elle vit avec son mari dans le Connecticut, aux Etats-Unis.

Un serment pour la vie

SANDRA MARTON

Un serment pour la vie

COLLECTION AZUR

éditions Harlequin

Si vous achetez ce livre privé de tout ou partie de sa couverture, nous vous signalons qu'il est en vente irrégulière. Il est considéré comme « invendu » et l'éditeur comme l'auteur n'ont reçu aucun paiement pour ce livre « détérioré ».

Cet ouvrage a été publié en langue anglaise
sous le titre :
THE SICILIAN MARRIAGE

Traduction française de
ÉLISABETH MARZIN

HARLEQUIN®

est une marque déposée du Groupe Harlequin
et Azur® est une marque déposée d'Harlequin S.A.

Toute représentation ou reproduction, par quelque procédé que ce soit, constituerait une contrefaçon sanctionnée par les articles 425 et suivants du Code pénal.
© 2005, Sandra Miles. © 2005, Traduction française : Harlequin S.A.
83-85, boulevard Vincent-Auriol, 75013 PARIS — Tél. : 01 42 16 63 63
Service Lectrices — Tél. : 01 45 82 47 47
ISBN 2-280-20453-3 — ISSN 0993-4448

1.

Gianni Firelli ne tenait plus en place.

Il était 18 heures, par une chaude soirée de mai, et il n'avait qu'une envie : s'échapper enfin de la réception donnée pour la naissance de la fille de Stefano Lucchesi.

Il y avait trop de monde, les gens parlaient trop fort, et si quelqu'un s'avisait de lui mettre encore une fois un bébé brailleur sous le nez, il risquait de se montrer grossier. En tout cas, il ne parviendrait plus à prendre un air extasié. Entre les bébés qui se trouvaient encore dans le ventre de leur mère et ceux qui venaient d'en sortir, il y avait presque assez d'enfants dans la pièce pour former une équipe de football !

Tout le monde s'était-il donc donné le mot dans la belle-famille de Stefano ?

Et comme si ça ne suffisait pas, Tomasso Massini, l'un de ses plus anciens amis, était arrivé une heure plus tôt en compagnie de son épouse.

Enceinte.

« Toi aussi, Tommy ? », avait pensé Gianni tout en adressant au couple les félicitations d'usage.

Seule la blonde sexy aux jambes interminables qui se trouvait là aurait pu le sauver de l'ennui. Malheureusement, elle s'était révélée encore plus arrogante que jolie…

En soupirant, il jeta un coup d'œil furtif à sa montre. Dans une demi-heure, il pourrait s'esquiver sans manquer à la courtoisie. D'ici là, il continuerait à arborer un sourire aimable tout en essayant de comprendre par quelle aberration Stefano avait pu renoncer à sa liberté pour devenir non seulement un mari mais aussi un père.

Gianni n'avait rien contre le mariage ni les enfants, bien sûr. Un jour, il fonderait lui aussi une famille. Mais rien ne pressait.

Certes, Stefano et Tomasso semblaient plutôt heureux. Mais tout de même, comment deux hommes sains d'esprit pouvaient-ils se priver des joies du célibat alors qu'ils venaient à peine de franchir la trentaine ?

Etaient-ils victimes d'un virus ?

Il avait failli poser la question à Tomasso, mais s'était ravisé. Mieux valait éviter ce genre de plaisanterie avec un homme dont l'épouse était sur le point d'accoucher. Même quand on connaissait ce dernier depuis l'enfance.

Tommy, Stefano et lui avaient grandi ensemble dans les rues populaires de Little Italy à Manhattan. Leurs chemins ne se croisaient plus très souvent mais ils se retrouvaient toujours dans les moments importants.

Pour la naissance d'un bébé, par exemple.

Gianni fronça le nez. Un des beaux-frères de Stefano venait de passer à côté de lui avec dans les bras un nouveau-né qui hurlait. Et qui ne sentait pas la rose…

— Désolé, s'excusa l'homme avec un large sourire.

— Pas de problème, répondit Gianni hypocritement.

Puis il gagna la terrasse, où il prit une profonde inspiration. Après tout, il pouvait très bien rester là, à l'air libre et au calme, et profiter de la vue sur Central Park sans être obligé de feindre la plus grande joie à l'idée que ses deux meilleurs amis avaient perdu l'esprit.

Bien sûr, il avait été tenté de se soustraire à cette corvée et d'envoyer un présent de chez Tiffany accompagné d'un petit mot expliquant combien il était désolé de ne pouvoir l'offrir en personne, etc. Mais comment aurait-il pu faire faux bond à Stefano ? Il avait déjà raté son mariage en raison d'une tempête qui avait paralysé tous les aéroports.

Il était donc venu.

Et en arrivant, il avait croisé une blonde sexy aux jambes interminables.

Gianni eut une moue agacée. Pourquoi l'image de cette femme le poursuivait-elle ? Certes, elle était séduisante, mais vu son attitude, elle ne méritait pas qu'il lui accorde la moindre attention. Sans doute était-ce l'ennui qui le poussait à penser à elle.

Il observa par la baie vitrée l'immense salon des Lucchesi. La blonde était en grande discussion avec Karen, la femme de Tomasso. Les deux jeunes femmes semblaient bien se connaître. La blonde prenait Karen par le bras, se penchait vers elle en souriant, lui murmurait quelque chose à l'oreille, éclatait de rire.

Rien à voir avec la moue dédaigneuse à laquelle il avait eu droit…

Non que ça ait la moindre importance. Cette fille n'était pas du tout son genre. Il les préférait petites, brunes et féminines jusqu'au bout des ongles. Comme Lynda, par exemple, qui avait des formes pleines et généreuses. Alors que cette blonde avait presque la stature d'un garçon…

Un serveur sortit sur la terrasse.

— Désirez-vous boire quelque chose, monsieur ?

Gianni acquiesça d'un hochement de tête, prit un verre de vin rouge sur le plateau et le porta à ses lèvres en se remémorant son arrivée, quelques heures plus tôt.

9

Les portes de l'ascenseur privé qui montait jusqu'au dernier étage étaient en train de se refermer quand il avait entendu une voix féminine crier :

— Hé, attendez !

Il avait aussitôt appuyé sur le bouton qui inversait le mouvement des portes. Celles-ci s'étaient rouvertes sur une grande blonde.

« Pas mon genre », avait-il immédiatement pensé.

Avec un sourire poli, il avait déclaré :

— Désolé. Je ne vous ai pas vue arriver.

Elle l'avait toisé d'un regard suspicieux avant d'annoncer d'un air hautain :

— C'est un ascenseur privé.

— Vraiment ? s'était-il exclamé avec une ironie non dissimulée.

— Il ne monte qu'au dernier étage.

— Quel heureux hasard ! Il se trouve que c'est là que je me rends.

— Le portier vous a-t-il… ?

— Vous voulez peut-être que je vous présente mes papiers ? avait-il coupé avec agacement.

A sa grande satisfaction, les pommettes saillantes de la jeune femme s'étaient colorées.

— Je vais à la réception des Lucchesi, avait-elle déclaré.

— Moi aussi. Si vous voulez bien vous donner la peine de rentrer dans la cabine, je pourrai débloquer les portes.

Elle était montée dans l'ascenseur en silence et s'était placée à côté de lui en regardant fixement devant elle. Il avait décidé de faire un effort de courtoisie.

— Etes-vous une amie de Fallon ?

— Non, avait-elle répondu sans même lui jeter un coup d'œil.

— De Stefano ?

— Non.

— Dans ce cas, êtes-vous… ?

— Ça ne vous regarde pas.

Elle s'était tournée vers lui et l'avait foudroyé du regard en ajoutant :

— Inutile de vous fatiguer, je ne suis pas intéressée.

A son grand dam, il s'était empourpré à son tour.

— Je vous assure que je n'ai aucune intention de…

Au même instant, l'ascenseur s'était arrêté et les portes s'étaient ouvertes directement sur l'appartement des Lucchesi. Sans prendre la peine de s'effacer pour laisser passer la jeune femme, Gianni était sorti le premier.

Il s'était dirigé vers Stefano, qui se trouvait dans le hall, mais la blonde l'avait devancé et s'était précipitée dans les bras de ce dernier avec une exclamation joyeuse.

— Stefano !

Exaspéré, Gianni s'était mêlé à la foule.

A présent, la princesse de glace discutait avec la femme de Stefano, constata-t-il en continuant de l'observer depuis la terrasse. Elle lui prenait le bébé des bras avec un sourire attendri. Serait-il donc le seul à qui elle réservait un visage renfrogné ? se demanda-t-il avec agacement.

Au même instant, le bébé agita les bras dans tous les sens et la jeune femme éclata d'un rire ravi en rejetant la tête en arrière.

Gianni plissa les paupières.

La princesse de glace avait un rire rauque, extrêmement sexy. Et contrairement à ce qu'il avait d'abord cru, sa silhouette n'avait rien de masculin… Certes, elle était mince et svelte, mais sous sa robe de soie vert pâle on devinait des hanches aux courbes sensuelles. D'autre part, tandis qu'elle s'amusait à lever le bébé en l'air, le tissu souple épousait le galbe de ses seins. Ronds et fermes, ceux-ci étaient visiblement libres de toute entrave…

De quelle teinte étaient les mamelons qui se dessinaient sous la fine étoffe ? Rose vif, sans doute, comme la bouche de la jeune femme. Sensibles et soyeux, ils devaient se hérisser au moindre frôlement, délicieusement doux sous les doigts, frémissants sous la langue…

Gianni tressaillit.

Bon sang, que lui prenait-il ?

Il se trouvait à un baptême, pas à un enterrement de vie de garçon !

Tournant le dos à la pièce, il se concentra sur la ligne des toits de Manhattan, baignés des reflets rose orangé du couchant. Rose orangé… ou rose vif ? Quelle était la couleur des deux bourgeons délicats ?

Gianni réprima un juron. Bon sang ! Pourquoi ne pouvait-il s'empêcher d'imaginer avec une telle précision les seins de la blonde ? C'était insensé !

— Elle est belle, n'est-ce pas ?

Gianni tressaillit. Stefano venait de le rejoindre, un sourire joyeux aux lèvres et une bouteille de vin à la main.

— Est-ce si évident ? demanda Gianni avec une mine contrite en tendant son verre.

— Tu plaisantes ? Bien sûr !

Stefano servit son ami en ajoutant d'un air rêveur :

— Comment ne pas être ému devant une telle merveille ?

— Il ne faut pas exagérer ! Disons qu'elle est séduisante, dans la mesure où on aime ce genre de beauté.

— Séduisante ?

— Eh bien, oui. Elle ne manque pas d'atouts, si tu vois ce que je veux dire. Mais de là à la considérer comme une merveille…

— Tu as de la chance que nous soyons amis depuis l'école primaire, Firelli, sinon je te flanquerais une bonne raclée !

Pourquoi Stefano semblait-il aussi contrarié ? se demanda Gianni, interloqué.

— Qu'est-ce qui ne va pas, mon vieux ? Pourquoi m'en voudrais-tu de ne pas être aussi ébloui que toi par cette femme ?

— Cette femme ?

Stefano arqua les sourcils.

— Quelle femme ?

Allons bon, le mariage aurait-il ramolli le cerveau de son ami ? se demanda Gianni. Ou bien était-ce la paternité qui lui usait les neurones ?

— La blonde, bien sûr ! répliqua-t-il avec impatience. Celle qui s'est jetée sur toi en arrivant… A propos, Fallon accepte-t-elle facilement ce genre de démonstrations ?

Stefano écarquilla les yeux, visiblement stupéfait. Puis il éclata d'un rire retentissant.

— La blonde ! Oh, mon Dieu, la blonde !

Envahi par une colère sourde qu'il ne comprenait pas lui-même, Gianni posa son verre d'un geste brusque sur une table voisine et se dirigea vers la baie vitrée.

Stefano le retint par le bras.

— Où vas-tu, idiot ?

— Lucchesi, je serais navré de te réduire en miettes sous les yeux de tes invités, mais…

— Je parlais de ma fille !

Gianni tressaillit.

— Ta fille ?

Il déglutit péniblement.

— Tu parlais de…

— Cristina, bien sûr ! Comment as-tu pu imaginer que je te parlais d'une femme ?

Gianni se retourna et s'accouda à la balustrade.

— Tu as raison, marmonna-t-il. Je suis un idiot.

Stefano pouffa.

— Ravi que nous soyons enfin d'accord !

Après un silence, il demanda.

— Alors, de quelle blonde s'agit-il ?

— Aucune importance, répliqua Gianni avec un geste désinvolte de la main.

Mais aussitôt, il ajouta :

— Celle qui s'est jetée dans tes bras à son arrivée.

— Pourrais-tu être un peu plus précis, Firelli ? Tu sais bien que toutes les femmes se jettent dans mes bras, plaisanta Stefano.

Gianni pouffa.

— C'est ton épouse qui doit être contente !

— Quelle raison ai-je d'être contente ? demanda Fallon en les rejoignant, un sourire affectueux aux lèvres. Gianni, c'est un plaisir de te revoir.

Gianni embrassa la jeune femme avec chaleur.

— Tout le plaisir est pour moi, Fallon. La maternité t'a encore embellie. Pourtant, j'aurais juré que tu avais déjà atteint le summum.

Fallon battit des cils.

— Ah vous, les Siciliens ! Il faut reconnaître que vous savez vous y prendre avec les femmes…

— Pas toutes, apparemment, intervint Stefano.

Fallon arqua les sourcils.

— Il semble que l'une de nos invitées soit insensible au charme pourtant légendaire de notre ami Gianni.

— Stefano ! s'exclama ce dernier d'un ton menaçant.

— Allons, ne fais pas ton timide, plaisanta Stefano. Si une de nos invitées t'intéresse…

14

— Pas du tout ! coupa-t-il précipitamment. J'ai seulement dit...

— Montre-la-moi, dit Fallon. Je vais te la présenter.

Gianni darda un regard noir sur Stefano, visiblement très content de lui.

— Bon sang, Lucchesi, tu me le paieras ! Fallon, ne fais pas attention. Ton mari se laisse emporter par son imagination.

— Je sais qui c'est, déclara Stefano.

— Ça m'étonnerait ! s'exclama Gianni. Il y a au moins une dizaine de blondes parmi les invitées.

Comment diable avait-il pu perdre à ce point le contrôle de la situation ? pesta-t-il intérieurement.

— Peut-être, mais tu as précisé que la blonde en question s'était jetée dans mes bras en arrivant.

Stefano adressa un clin d'œil à sa femme.

— Et alors ? lança Gianni avec humeur.

— Alors je sais qui c'est, répliqua Stefano en prenant un air suffisant.

Il fit une pause.

— Cette blonde est ma belle-sœur.

Gianni écarquilla les yeux.

— Ta...

— Il parlait de Briana, dit Stefano à Fallon. Et apparemment, bien qu'il affirme ne pas avoir été ébloui, il fait une véritable fixation sur elle.

— Pas du tout ! Ce genre de femme ne m'attire absolument pas et en plus...

Gianni s'interrompit. Mieux valait ne pas mentionner devant Fallon l'arrogance de sa sœur. Ce ne serait pas très courtois...

S'écartant de son mari, Fallon prit Gianni par le bras avec un sourire malicieux.

— Laisse-moi te la présenter. Comme ça tu pourras t'assurer que ce genre de femme ne t'attire vraiment pas.

Stefano et Fallon éclatèrent de rire en chœur. S'efforçant de faire bonne figure, Gianni se laissa entraîner dans la pièce. Heureusement, la belle-sœur de Stefano avait disparu, constata-t-il avec soulagement en promenant son regard autour de lui.

— J'aurais été ravi de faire sa connaissance, déclara-t-il avec un sourire hypocrite. Dommage qu'elle ne soit plus là.

— Elle est montée changer Cristina, répliqua Fallon en l'entraînant vers l'escalier en spirale qui conduisait à l'étage. N'espère pas te défiler aussi facilement.

— Ecoute, Fallon, Stefano n'a pas du tout compris ce que…

— Ah, te voilà, Bree.

Gianni tressaillit et suivit le regard de Fallon. Briana O'Connell descendait l'escalier.

Eblouissante.

Son corps de danseuse aux jambes interminables était admirablement mis en valeur par sa robe verte, qui faisait ressortir l'éclat de ses grands yeux turquoise. Autre touche de couleur vive dans son visage fin encadré par d'épaisses boucles aux reflets dorés, ses lèvres roses et pulpeuses étaient une véritable invitation au baiser.

En revanche, le coup d'œil dédaigneux dont elle venait de le gratifier l'espace d'une demi-seconde, n'incitait pas au rapprochement…

— Bree, je te présente Gianni Firelli. Gianni, ma petite sœur, Bree.

— Briana, rectifia sèchement la princesse de glace en toisant Gianni d'un air condescendant.

Puis elle se tourna vers Fallon.

— Cristina s'est endormie dès que je l'ai posée dans son berceau. Je l'ai laissée avec sa nurse.

— C'est parfait. Bree ? Gianni est l'un des plus vieux amis de Stefano.

Nouveau regard méprisant, accompagné d'une moue sarcastique.

— Comme c'est touchant ! Si vous voulez bien m'excuser…

— Pourquoi vous excuserais-je ? ne put s'empêcher de couper Gianni.

S'approchant de Briana, il baissa la voix de façon à ce qu'elle seule puisse l'entendre.

— Etes-vous toujours aussi odieuse ou bien me réservez-vous exclusivement cette attitude ?

Le regard turquoise rencontra le sien et soudain, il vit s'y allumer une étincelle qui l'électrisa.

Sans répondre, Briana pivota sur elle-même et s'éloigna.

Dire qu'il s'était toujours demandé ce que voulaient dire les gens quand ils prétendaient bouillir de colère… A présent, il comprenait, songea Gianni en la suivant du regard. Quelle insolence ! S'il ne se retenait pas, il la rattraperait, l'agripperait par les épaules, et la secouerait avec rage jusqu'à ce qu'elle implore son pardon…

Ou bien, il la prendrait dans ses bras, la soulèverait de terre et la porterait jusqu'à une chambre, où il s'enfermerait avec elle pour l'embrasser et la caresser jusqu'à ce qu'elle le supplie de lui faire l'amour…

— Je suis vraiment désolée, Gianni.

Tressaillant, il se tourna vers Fallon. Visiblement, il n'était pas le seul à être choqué par l'attitude de la princesse de glace.

— C'est la première fois que je vois Bree faire preuve d'une telle impolitesse, poursuivit Fallon. Je ne sais pas ce qui lui a pris.

— Ne t'en fais pas, ça n'a aucune importance, répliqua-t-il avec un sourire crispé.

— Mais si. Je vais aller la trouver et…

— Non ! coupa Gianni d'un ton vif.

Se reprenant, il ajouta d'une voix plus douce :

— Oublie ça, Fallon. Peut-être a-t-elle eu une journée difficile.

— Bree ? Une journée difficile ? Ça m'étonnerait !

— Elle ne travaille pas ?

— Si, mais en dilettante. Il est rare qu'elle occupe le même emploi plus de quelques mois. Elle a été photographe, agent de voyage, vendeuse, documentaliste pour un jeu télévisé…

Fallon sourit.

— Notre mère dit qu'elle se cherche encore, mais pour être honnête, mon autre sœur, Megan, et moi-même nous pensons qu'elle est tout simplement d'une nature versatile et qu'elle ne changera jamais.

Manière élégante de dire que Briana O'Connell n'était pas fiable, se dit Gianni. Décidément, elle avait tout pour plaire !

Il prit les mains de son hôtesse dans les siennes.

— Fallon, je suis vraiment ravi de t'avoir revue et j'ai passé un excellent après-midi.

— Tu ne pars pas déjà ?

Il porta les mains de Fallon à ses lèvres, et les embrassa tour à tour.

— Je crains que si. J'ai rendez-vous pour dîner.

— Ah. Dommage. Stefano et moi nous espérions te garder ici après le départ des autres. Il aime évoquer le bon vieux temps avec toi.

— Une autre fois, je te le promets. Dis-lui au revoir pour moi, tu veux bien ?

— D'accord.

Fallon lui prit le bras pour le raccompagner jusqu'à l'ascenseur.

— Gianni… je suis vraiment désolée pour l'attitude de ma sœur.

— Il n'y a pas de quoi, je t'assure. Ce n'est pas la première fois que je me fais rabrouer.

— Gianni Firelli, ce mensonge est tout à ton honneur, mais tu n'es pas crédible, dit Fallon en souriant. Je n'ignore pas que tu tournes la tête à toutes les femmes.

— La preuve que non ! rétorqua-t-il d'un ton qu'il espérait léger.

En riant, Fallon se hissa sur la pointe des pieds pour déposer un baiser sur sa joue.

— J'ai été ravie de te voir. Et merci pour le cadeau pour Cristina.

— Tout le plaisir était pour moi. *Ciao*, Fallon.

— Au revoir, Gianni.

Il monta dans l'ascenseur. A peine les portes furent-elles refermées que son sourire factice s'effaça. D'un air sombre, il sortit son portable de sa poche.

Lynda répondit à la première sonnerie.

— Allô, répondit-elle de cette voix un peu sourde qui le crispait toujours.

— C'est moi.

— Gianni, j'attendais ton appel. Est-ce que tu viens ?

— J'arrive, répliqua-t-il alors que l'ascenseur atteignait le rez-de-chaussée.

Il traversa le hall d'un pas vif et adressa un signe de tête au portier quand celui-ci lui ouvrit la porte qui donnait sur la rue.

— Nous dînons dehors ? demanda Lynda. Dois-je m'habiller… ou bien dois-je rester comme je suis ? Je viens de prendre un bain et je ne porte que ce peignoir de soie rose que tu m'as offert…

Rose. Comme la bouche de Briana O'Connell...

— Gianni ? Tu m'entends ?

Gianni s'éclaircit la voix.

— Oui, Lynda.

— Qu'as-tu envie de faire ? Nous pourrions essayer ce nouveau restaurant dont tout le monde parle. Tu sais, La Verte Prairie. Il paraît que la cuisine y est succulente.

Verte, comme la robe qui moulait le corps souple de Briana O'Connell…

— Gianni ?

Soudain, il prit une décision. Ça n'avait rien à voir avec Briana O'Connell, se dit-il fermement. Rien du tout. C'était un problème en suspens depuis quelques semaines déjà. Il était temps de le régler.

— Inutile de réserver, déclara-t-il. Je serai là dans vingt minutes.

Il fit une pause.

— Mais il vaut mieux que tu t'habilles.

Il entendit Lynda retenir sa respiration.

— Gianni ? Tout va bien ?

— A tout de suite, dit-il avant de raccrocher.

Une heure plus tard, il quittait l'appartement de Lynda pour la dernière fois.

Il la laissait en pleurs et ne pouvait s'empêcher de s'en vouloir. Mais après tout, n'étaient-ils pas convenus dès le début qu'il n'était question ni pour l'un ni pour l'autre de s'engager dans une relation à long terme ?

— Je sais, avait-elle dit à travers ses larmes quand il le lui avait rappelé. Mais je croyais que la situation avait évolué.

Gianni soupira. Non, la situation n'avait pas évolué. Du moins, pas pour lui.

A présent, il faisait nuit et il avait hâte de rentrer chez lui, de prendre une douche et d'oublier cette étrange journée. Au lieu de héler un taxi, il décida de marcher.

Demain, il enverrait un présent à Lynda… Non, ce n'était sans doute pas une bonne idée. Inutile de remuer le couteau dans la plaie en cherchant à se donner bonne conscience.

A vrai dire, jusqu'à ce soir, il n'avait pas vraiment envisagé de rompre. Cette étincelle furtive qu'il avait aperçue dans le regard turquoise d'une princesse de glace l'aurait-elle ébranlé plus qu'il ne voulait se l'avouer ?

Un vent vif, étonnamment froid après la douceur de cette journée printanière, soufflait sur la 57e Rue.

Remontant le col de sa veste, Gianni enfonça les mains dans ses poches et accéléra le pas.

2.

— Qu'as-tu contre lui ?

Bree leva les yeux de son assiette. Depuis que Fallon lui avait téléphoné pour l'inviter à déjeuner, elle attendait cette question. Il était surprenant que sa sœur ait laissé passer une semaine avant de l'appeler, puis près d'une demi-heure depuis le début du repas avant de commencer l'interrogatoire…

— Qui ? demanda-t-elle en prenant un air innocent.

Fallon leva les yeux au ciel.

— Tu le sais parfaitement ! Gianni Firelli.

Bree prit une tomate cerise du bout des doigts et la mâcha lentement. Elle avait plusieurs possibilités. Feindre de ne pas savoir de qui parlait sa sœur. Ou bien dire à celle-ci de s'occuper de ses affaires. Mais il ne fallait pas rêver. Fallon ne lâcherait prise ni dans un cas ni dans l'autre.

Inutile de chercher à éluder la question.

Elle posa sa fourchette.

— Tu t'attendais à ce que je me pâme d'admiration devant lui ?

— Un simple « Bonjour, enchantée de faire votre connaissance » aurait suffi.

— Je l'avais déjà rencontré en arrivant. Pourquoi l'aurais-je salué une seconde fois ?

— Ne fais pas l'idiote, Bree. Tu as été d'une incorrection inouïe avec lui.

— Pas du tout.

— Si. J'ai encore du mal à croire que tu te sois comportée d'une manière aussi grossière.

Bree releva le menton.

— Et moi, j'ai du mal à croire que tu me traites comme si j'avais encore six ans.

— Tu as été impolie avec un de mes invités, qui se trouve être également l'un des deux meilleurs amis de Stefano.

— J'ai refusé d'être hypocrite, nuance.

— La politesse n'a rien à voir avec l'hypocrisie.

— C'est ton opinion et je ne la partage pas. Est-ce que tu as l'intention de manger le dernier petit pain ?

— Non. N'en profite pas pour changer de sujet, s'il te plaît.

— Je ne change pas de sujet. Je n'apprécie pas d'être réprimandée comme une gamine, c'est tout.

— Ta conduite est consternante.

— Excuse-moi de te l'annoncer aussi brutalement, mais tu es ma sœur, pas ma mère.

— Parlons-en ! Maman a eu de la chance que son avion soit retardé, en fin de compte. Sinon, elle serait arrivée à temps à la réception pour te voir à l'œuvre. Tu imagines comment elle aurait réagi ?

— Non, pas du tout. Si tu me le disais ? répliqua Bree d'une voix doucereuse.

De toute évidence, Grande Sœur ne s'attendait pas à ce qu'elle lui retourne sa question, songea-t-elle en réprimant un sourire de satisfaction.

— Eh bien…

— Elle m'aurait privée de dessert ? Ou d'argent de poche ?

Les deux sœurs s'affrontèrent du regard. Puis Fallon soupira.

— D'accord, ma réaction est peut-être un peu excessive.

— Alléluia ! commenta Bree en reprenant sa fourchette.

— Mais reconnais que tu as été vraiment très désagréable.

— Je voulais être certaine que M. Firelli comprenne le message.

— Qui était ?

— Que je n'étais pas intéressée.

— Tu as tort. Gianni est très sympathique.

Bree eut une moue dédaigneuse.

— Et très séduisant.

— Séduisant ?

Avec un haussement d'épaules, Bree posa sa fourchette et prit son couteau.

— Sans doute.

— Cesse de jouer les blasées. Reconnais au moins que c'est un homme séduisant.

— Je ne suis pas d'accord, répliqua Briana en beurrant un morceau de pain.

— Voyons, Bree…

— Je le trouve carrément superbe.

Fallon tressaillit.

— Pardon ?

— Il mesure… un mètre quatre-vingt-cinq ? Quatre-vingt-dix ? Il a une carrure impressionnante. Des muscles partout. Une épaisse chevelure noir de jais, de magnifiques yeux verts, un visage de dieu grec…

— Romain.

— Si tu veux. En tout cas, c'est l'un des hommes les plus beaux que j'aie jamais vus.

Ravie de la mine abasourdie de sa sœur, Bree but une gorgée de vin blanc.

24

— Je suis sûre qu'il y avait à ta réception une bonne dizaine de femmes prêtes à tout pour le séduire.

— Mais ?

— Mais comme je l'ai déjà dit à Karen…

— Karen ?

— Karen Massini. La femme de Tomasso.

— Oh, oui. J'oublie toujours que vous vous êtes connues avant que j'épouse Stefano.

Bree roula les yeux.

— Bien avant ! A l'université, nous étions inséparables. Quand elle a épousé Tomasso, elle est partie en Californie et nous nous sommes un peu perdues de vue. Mais depuis qu'elle est enceinte, ils sont revenus à New York, et…

— Oui, d'accord, je me souviens à présent, coupa Fallon avec impatience. Donc, tu as parlé de Gianni avec Karen ?

— Elle m'a dit qu'elle l'avait surpris plusieurs fois en train de me regarder et… et c'est tout.

Fallon eut envie de se pencher par-dessus la table pour prendre sa sœur par les épaules et la secouer avec énergie.

Puis elle se souvint de ce que lui avait dit son mari le matin même au petit déjeuner. « N'essaie pas de jouer les entremetteuses, *cara*. Le courant n'est pas passé entre Gianni et Briana. Fin de l'histoire. » Stefano l'avait prise dans ses bras en ajoutant : « Tout le monde n'a pas la chance d'avoir le coup de foudre. »

Non. Le coup de foudre, sans doute pas. Mais contrairement à ce que pensait Stefano, sa sœur était loin d'être indifférente à Gianni Firelli. Fallon en était certaine. Son agressivité envers lui cachait quelque chose.

— Comment ça, c'est tout ? demanda-t-elle avec indignation. Qu'a ajouté Karen ?

— Oh, rien d'important.

Bree s'essuya les lèvres avec sa serviette et repoussa son assiette.

— Elle m'a incitée à avoir pitié de lui et à lui accorder au moins un sourire.

— Tu vois ? Tu as été tellement désagréable que tout le monde l'a remarqué. Pauvre Gianni !

— Garde ta compassion pour quelqu'un qui en a vraiment besoin. Le « pauvre Gianni » a une maîtresse.

— Oh.

— Eh oui ! Monsieur n'est pas libre, mais ça ne l'a pas empêché de me faire du charme. Que penses-tu de lui, à présent ? Figure-toi que nous nous sommes rencontrés dans l'ascenseur en arrivant et qu'il a attaqué avant même que les portes se soient refermées.

Fallon se remémora sa première rencontre avec son mari.

— Tu sais…

— Ecoute, il y a quelque chose chez ce type qui ne me plaît pas, d'accord ? Alors inutile d'insister.

— Bree, ma chérie, quand finiras-tu par comprendre que personne n'est parfait ? Tôt ou tard, tu trouves toujours quelque chose à reprocher aux hommes que tu fréquentes. Ne fais pas cette tête, je sais que tu es une grande fille, mais…

— Je suis adulte, rectifia vivement Bree. Même si ni toi ni Megan n'êtes capables de vous en souvenir.

— Ne dis pas de bêtises. Nous voulons juste que tu sois heureuse. Que tu trouves quelqu'un à aimer.

— Le désir n'a rien à voir avec l'amour.

— Bien sûr que si !

— Désolée, mais je ne fonctionne pas comme ça. Le sexe n'est pas aussi important qu'on le dit. L'essentiel, c'est la confiance.

Fallon leva les yeux au ciel.

— Si tu le penses vraiment, je n'ai plus qu'à me taire.

Parfait, songea Bree. C'était exactement ce qu'elle souhaitait. Clore la discussion.

— Ne t'inquiète pas pour moi, grande sœur. Je sais parfaitement ce que je veux. Et aujourd'hui, c'est moi qui t'invite. Inutile de protester. Je serai inflexible.

Fallon soupira.

— Bree, je te connais. Tu es d'un tempérament passionné. Pourquoi le nier ?

— C'est incroyable ! Karen m'a tenu le même discours. Croyez-vous vraiment toutes les deux savoir mieux que moi ce qui me convient ?

— Je connais à peine Karen, mais je rends hommage à sa perspicacité. Je suis certaine que tu es faite pour vivre une grande passion avec un homme qui te fera perdre la tête.

Cette fois, il était grand temps de dire à Fallon ce qu'elle avait sur le cœur, décida Bree, exaspérée.

— Une grande passion ? Comme entre notre père et maman ? lança-t-elle sèchement.

Elle se pencha en avant

— Tu t'imagines peut-être que je ne me souviens de rien parce que j'étais la petite dernière. Eh bien, tu as tort. Maman ne se plaignait jamais, mais il lui a fait vivre un véritable enfer.

— Bree…

— Cette « grande passion » l'a réduite en esclavage ! Elle a vécu uniquement pour notre père et à travers lui. Et si tu t'imagines que je vais suivre son exemple, tu rêves !

— Est-ce ainsi que tu me considères ? demanda Fallon d'un ton posé. Comme l'esclave de mon mari ?

Confuse, Bree se mordit la lèvre.

— Pas du tout ! Je ne voulais pas…

— Je vis une grande passion avec Stefano. Megan et Qasim vivent une grande passion. Et il suffit de regarder nos belles-sœurs pour comprendre qu'elles sont dans le même cas. Nous sommes toutes follement amoureuses de nos maris. Sommes-nous pour autant leurs esclaves ?

— Non… Bien sûr que non…

Bree prit une profonde inspiration.

— Si je t'ai blessée, excuse-moi. Ce n'était vraiment pas mon intention et je t'assure que je ne te considère pas comme l'esclave de Stefano. Mais s'il te plaît, respecte mon point de vue. Je ne suis pas faite pour vivre une grande passion. Je me connais. Ce que je veux…

— C'est une histoire tranquille.

— Oui.

— Sans risques.

— Et alors ? Il n'y a rien de mal à cela !

Fallon prit la main de Bree.

— De quoi as-tu peur, petite sœur ?

— De rien ! répliqua précipitamment Bree.

Si Fallon savait… Elle avait bel et bien peur. Terriblement peur. Des rêves qu'elle faisait chaque nuit depuis le baptême de Cristina, et dans lesquels Gianni Firelli tenait la vedette. Du trouble inouï qu'elle avait ressenti dès qu'elle avait posé les yeux sur lui.

Peur de perdre ses rêves, ses espoirs, son âme. De se perdre elle-même et de se consumer tout entière dans les flammes de la passion…

Juin succéda à mai, puis laissa la place à juillet.

Le temps devint chaud et humide. Tous les New-Yorkais qui pouvaient se le permettre désertèrent la ville. On avait plus de chances de rencontrer son voisin de la Cinquième Avenue sur une plage de Cape Cod ou dans un village du Connecticut que sur les trottoirs de la ville.

Gianni ne remarquait même pas la chaleur. Il était absorbé par un procès qui approchait de son terme. C'était un cas complexe qui requérait toute son attention et l'obligeait à se rendre fréquemment sur la côte Ouest.

Comme toujours, les invitations se succédaient : dîners à la plage, longs week-ends à la campagne. Depuis sa rupture avec Lynda, il n'était pas sorti avec une seule femme et il fuyait les mondanités.

Un vendredi soir, en arrivant dans son appartement avec terrasse, épuisé par une semaine d'allers-retours en avion et de travail acharné, il eut une moue de dérision. Combien de temps encore allait-il mener cette vie monacale ? C'était ridicule.

Pourquoi ne parvenait-il pas à chasser de son esprit le souvenir de la réception où Briana O'Connell l'avait écrasé de son mépris ? Sans doute parce qu'il était furieux de ne pas avoir dit à cette pimbêche ce qu'il pensait d'elle. Mais comment l'aurait-il pu ? Il était invité chez Stefano et elle n'était autre que la belle-sœur de ce dernier.

Il défit ses boutons de manchettes et les posa sur la commode de sa chambre. Il s'apprêtait à se déshabiller pour prendre une douche, quand il se souvint de l'épaisse enveloppe de vélin que lui avait remise le portier. Elle n'avait pas été expédiée par la poste mais apportée par quelqu'un.

Il la sortit de son attaché-case et la soupesa. Une invitation, sans doute. Encore une soirée à laquelle il ne se rendrait pas. Il n'avait aucune envie de voir des gens et d'échanger des banalités. Cependant, quelqu'un quelque part attendait sa réponse, et la politesse voulait que…

Il sortit le carton de l'enveloppe. Tomasso et Karen avaient eu une fille. Et ils donnaient une réception pour célébrer l'arrivée du bébé.

Gianni réprima un juron. Les réjouissances étaient prévues pour ce soir !

En soupirant, il ferma les yeux et se massa la nuque. Bon sang, il était épuisé… Cependant, Tomasso était un ami trop proche pour qu'il ne fasse pas l'effort d'aller le féliciter, ainsi que sa femme.

Gianni posa le faire-part sur la commode, se déshabilla et se rendit dans la salle de bains.

A peine était-il arrivé à la soirée qu'il se figea au milieu de la foule.

La princesse de glace était là. En grande discussion avec un petit groupe d'invités, elle lui tournait le dos mais il n'y avait aucune erreur possible. Cette crinière blonde tombant en cascade sur ces épaules et ces jambes interminables mises en valeur par des talons aiguilles d'une hauteur vertigineuse ne pouvaient appartenir qu'à elle. Elle écoutait avec une attention manifeste un homme qui déployait toute son énergie à la faire rire.

Et qui y réussissait parfaitement.

A son grand dam, Gianni fut submergé par une vive irritation. Cette femme ne se montrait-elle donc hargneuse qu'avec lui ? Et de toute façon, que faisait-elle là ?

Au même instant, Tomasso le rejoignit. Il le fusilla du regard.

— C'est toi qui l'as invitée ?

— Invité qui ?

La perplexité de son ami n'était pas feinte, comprit Gianni.

— Si ce n'est pas toi, c'est sûrement Fallon.

— De quoi parles-tu ?

— Je suis sûr que c'est Fallon qui a demandé à Karen d'inviter sa sœur.

Gianni indiqua Bree d'un signe de tête.

30

— Briana O'Connell.

— Karen n'a eu besoin de personne pour inviter Briana. C'est sa meilleure amie.

— Sa meilleure amie ?

— Oui. Elles ne se sont pas beaucoup vues ces dernières années parce que nous étions en Californie, mais elles sont très liées depuis l'université. Elles étaient colocataires et faisaient partie de la même association d'étudiantes. Quel est le problème ?

— Il n'y a aucun problème.

— Tu es certain ? insista Tomasso avec un clin d'œil. Il y a quelque chose entre vous ?

— Non, rien du tout.

Gianni prit son ami par les épaules.

— Si tu me présentais ta fille ?

Le bébé était mignon, comme tous les bébés.

Le buffet était raffiné, le vin excellent.

Vingt minutes après son arrivée, Gianni était prêt à repartir. La princesse de glace bavardait toujours avec le même groupe d'invités. Et elle était toujours d'humeur joyeuse, à en croire son rire éclatant, qui perçait régulièrement le brouhaha ambiant.

C'était un rire rauque. Sexy. D'une sensualité incroyable.

Ce rire le rendait fou.

Comment pouvait-elle être aussi exubérante alors qu'il bouillait de rage ? Pourquoi l'ignorait-elle ?

Si elle était la meilleure amie de Karen, elle devait savoir qu'il était lui-même très lié à Tomasso et par conséquent invité à cette réception. Pourquoi semblait-elle subjuguée par son interlocuteur au point de ne prêter aucune attention à ce qui se passait autour d'elle ?

Décidément, il était bon pour l'asile. Sinon il ne resterait pas planté là à observer cette pimbêche en se posant tout un tas de questions plus idiotes les unes que les autres…

S'il voulait recouvrer la raison, il n'y avait qu'une solution. Régler ses comptes une fois pour toutes. Sans attendre une minute de plus.

Son irritation devait se lire sur son visage parce que les compagnons de la princesse de glace le regardaient approcher avec une inquiétude manifeste. Seuls la princesse elle-même, qui lui tournait le dos, et son prétendant, trop occupé à lui faire du charme, n'avaient rien remarqué.

Mais soudain, ce dernier leva les yeux et croisa le regard de Gianni. Son rire s'étrangla aussitôt.

— Que se passe-t-il ? demanda Briana en se retournant.

Dans ses yeux agrandis par la surprise, Gianni surprit une étincelle qu'il reconnut aussitôt.

Un éclair de désir foudroyant, d'une intensité inouïe, le transperça.

— Vous ! dit-elle d'une voix blanche.

— Moi, répliqua-t-il en la prenant par le bras.

Elle tenta de se dégager, mais il tint bon.

— Que faites-vous ? s'écria-t-elle d'un ton indigné.

— Oui, que faites-vous ? répéta comme un perroquet son chevalier servant.

— Ça ne vous regarde pas, répliqua Gianni d'une voix menaçante.

L'homme pâlit.

— Mademoiselle et moi avons des choses à nous dire, ajouta Gianni sur le même ton.

Il regarda Briana. Ses pommettes étaient rouges et une veine battait frénétiquement à son cou. Aurait-elle peur de lui ? Elle n'aurait pas tort. Il était à bout.

Mais peut-être le trouble de la princesse de glace était-il d'une tout autre nature…

— Lâchez-moi ! Nous n'avons rien à…

Elle s'étrangla tandis qu'il la prenait fermement par la taille.

— Lâchez-moi ! répéta-t-elle d'une voix mal assurée.

A sa grande satisfaction, Gianni vit se rallumer dans ses yeux la même étincelle fugitive. Il se pencha vers elle et lui murmura à l'oreille :

— A vous de choisir, princesse. Ou bien vous me suivez docilement, ou bien je vous emmène de force.

— Bree, tu as besoin d'aide ? s'enquit l'homme.

Il fallait reconnaître que ce crétin ne manquait pas de courage, se dit Gianni sans lui accorder un regard.

D'une voix sifflante, Briana lança un juron particulièrement grossier. Puis elle s'humecta les lèvres du bout de la langue. Electrisé, Gianni la lâcha.

Elle ne perdait rien pour attendre, se dit-il en la regardant se diriger vers la sortie, la tête haute.

Il lui emboîta le pas.

Quelqu'un l'appelait-il ? se demanda-t-il en croyant entendre son nom. Peu importait. Impossible de détacher ses yeux des hanches ondulantes de Briana, tandis qu'elle franchissait le seuil de l'appartement.

L'ascenseur se trouvait sur le palier, arrêté à l'étage. Elle y pénétra et appuya sur un bouton. Gianni monta juste derrière elle, mais elle tenta de le contourner pour sortir de la cabine au moment où les portes se refermaient. L'agrippant par le bras, il la retint et l'obligea à lui faire face

— Lâchez-moi ! hurla-t-elle une fois de plus en se débattant avec frénésie.

Il l'attira contre lui et captura sa bouche, étouffant ses cris.

Elle martela ses épaules de coups de poing et tenta de s'arracher à ses lèvres, mais il prit son visage à deux mains, le maintenant fermement en place.

Elle continua de lutter un moment, puis soudain, elle noua les bras sur sa nuque et répondit à son baiser.

Fou de désir, il la plaqua contre la paroi de l'ascenseur. Elle se cambra contre lui, le bassin collé au sien et les seins écrasés contre son torse en murmurant dans un gémissement :

— Oui. Oh, oui…

Laissant échapper un grognement, Gianni l'empoigna par les hanches et la souleva. Aussitôt, elle noua les jambes autour de sa taille en ondulant contre sa virilité triomphante. Il fut submergé par une vague de désir d'une telle violence qu'il faillit perdre le peu de sang-froid qui lui restait.

— Dis-moi que tu me veux, murmura-t-il d'une voix rauque. Dis-moi que tu en as envie.

— Oui !

Il remonta sa jupe et glissa un doigt sous la fine barrière de dentelle qui protégeait la fleur humide de sa féminité. Avec un long gémissement modulé, Bree se cambra davantage, s'offrant à ses caresses tout en mêlant sa langue à la sienne avec une ardeur redoublée.

Au même instant, la cabine s'immobilisa.

Les portes venaient de s'ouvrir, comprit Gianni quand il entendit une exclamation de surprise suivie d'un gloussement. Tandis que Briana poussait un cri horrifié, il appuya à l'aveuglette sur un bouton du panneau de commande. Les portes se refermèrent. L'ascenseur reprit sa descente.

— Briana, murmura-t-il. Bree…

Elle se tortilla contre lui avec la frénésie d'un animal sauvage pris au piège, tout en le criblant de coups de poing.

— Bon sang ! marmonna-t-il en lui saisissant les mains, tandis qu'elle se laissait glisser au sol. Allez-vous m'écouter ?

L'ascenseur s'arrêta de nouveau et les portes s'ouvrirent sur le hall du rez-de-chaussée. Elle se précipita dehors et se mit à courir. Surpris, le portier ouvrit la porte de l'immeuble juste à temps pour lui laisser le passage. Puis il se tourna vers Gianni.

— Tout va bien, monsieur ?

Gianni sortit de la cabine.

— Tout va très bien.

Jamais il n'avait proféré un mensonge aussi grossier, songea-t-il sombrement.

3.

Le mois d'août était toujours éprouvant à New York. Quelle chaleur insupportable ! songea Bree en soupirant. Repasser par un temps pareil était de la folie. Surtout avec un fer dont le thermostat ne fonctionnait pas...

Cependant, le repassage avait l'avantage de laisser l'esprit disponible. On pouvait écouter la radio et fredonner un vieil air d'Elton John tout en laissant ses pensées vagabonder.

Irait-elle à Nantucket, où Cameron et Marissa l'avaient invitée pour le week-end ?

— Le temps est splendide, avait dit Marissa quand elle avait téléphoné. Nous avons décidé d'organiser un barbecue. Rien de collet monté. Il y aura juste quelques voisins très sympathiques.

Ce qui, en clair, signifiait que Marissa avait invité au moins un célibataire qu'elle considérait comme un mari potentiel...

Parce qu'elles nageaient dans le bonheur conjugal, ses sœurs et ses belles-sœurs étaient déterminées à lui trouver un compagnon. Cassie lui avait présenté un négociant en vins. Savannah un directeur d'hôtel, Megan un cheikh, Fallon un P.-D.G... Quel métier exaltant exerçait le nouveau prétendant choisi par Marissa ?

Il fallait reconnaître que les femmes du clan O'Connell avaient un goût très sûr. Les hommes qu'elles sélectionnaient étaient tous extrêmement séduisants et pleins d'esprit.

Ce n'était pas leur faute si aucun n'était aussi attirant que Gianni Firelli…

Ni aussi mufle, Dieu merci !

Bree fit glisser le fer sur le tissu avec des gestes rageurs.

Elle avait tout fait pour tenter d'oublier l'épisode désastreux de l'ascenseur. Malheureusement, ce souvenir la poursuivait. Comment avait-elle pu se laisser aller à ce point ? Seigneur ! Elle se haïssait presque autant qu'elle haïssait ce monstre !

Ce n'était pas cette chaleur horrible qui allait l'aider à recouvrer sa sérénité. Il devait bien faire un million de degrés dehors et presque autant dans son appartement… Etait-ce un jour à transpirer sur un fer brûlant dans sa minuscule cuisine ?

Malheureusement, elle n'avait pas le choix. Pour l'entretien d'embauche auquel elle devait se rendre dans moins d'une heure, elle avait besoin de ce chemisier. D'ailleurs, elle ferait bien de se presser un peu. Ce n'était pas le moment de perdre son temps à ressasser de mauvais souvenirs.

Oui, elle s'était comportée comme une idiote. Oui, elle en tremblait encore de rage. Oui, elle regrettait de ne pas avoir giflé Gianni Firelli, mais…

Son rendez-vous. Il fallait absolument qu'elle se concentre sur son rendez-vous !

Et sur ce maudit chemisier, dont elle avait toutes les peines du monde à effacer les plis, parce que le fer était trop chaud et la table à repasser bancale. Celle-ci vacillait sur ses pieds, comme elle sur ses jambes, quand Gianni l'avait embrassée…

Une odeur de soie brûlée lui chatouilla les narines et elle souleva précipitamment le fer. Trop tard. Ce dernier avait laissé sur le col une tache brune de la taille d'une pièce de monnaie.

— Bon sang de bon sang !

Soie lavable, indiquait l'étiquette. Repassage léger. Léger ? Quel humour ! Mais à vrai dire, repassé ou pas, quelle différence ? Après avoir été porté cinq minutes, ce corsage serait aussi froissé que si elle avait dormi dedans…

D'autant plus qu'elle était en nage. Pas étonnant que son loyer soit aussi bas. Du moins pour New York… Dire qu'en signant le bail quelques mois plus tôt, elle s'imaginait faire une affaire ! songea-t-elle en relevant ses cheveux.

Le robinet de la cuisine fuyait. Un seul des deux feux de la cuisinière fonctionnait. Quand au climatiseur, il était totalement inefficace. Ce qui était un comble, étant donné le faible volume à rafraîchir…

Lamentable.

Bree débrancha le fer et le posa sur son socle. Lamentable, c'était également l'adjectif qui qualifiait le mieux sa conduite. Comment avait-elle pu rendre son baiser à un homme qui lui avait sauté dessus comme un sauvage et l'avait embrassée de force ?

En d'autres temps, une femme ayant subi un tel outrage serait allée trouver ses frères pour leur demander de laver son honneur. Mais on était au XXIe siècle, pas à l'âge de pierre. Heureusement ! Cependant, il fallait reconnaître qu'imaginer Gianni Firelli aux prises avec les trois frères O'Connell était jubilatoire…

Briana prit une profonde inspiration.

Si le baiser de Firelli l'avait bouleversée comme jamais aucun autre auparavant, c'était uniquement à cause de l'effet de surprise et de l'incongruité de la situation. Certes, ce n'était pas une raison pour y répondre avec une telle ardeur. Mais après tout, quelle importance ? Elle n'avait aucune raison de continuer à se fustiger indéfiniment.

Si seulement elle parvenait à oublier les sensations dévastatrices déclenchées par ce baiser diabolique ! Sans parler de la chaleur intense qui l'avait envahie quand Gianni avait glissé une main sous sa jupe et qu'il…

Avec un juron, Bree roula son chemisier en boule et le lança à travers la pièce.

Elle prit de nouveau une profonde inspiration.

Du calme. Dans une heure, elle avait rendez-vous pour un entretien d'embauche. Il fallait qu'elle soit maîtresse de ses moyens et qu'elle se présente sous son meilleur jour. Ce n'était pas en ressassant ce souvenir cuisant qu'elle allait y parvenir.

Avant tout, résoudre le problème du chemisier.

Elle pouvait relever le col. Ou bien porter un foulard autour du cou. Non. Ce col n'était pas fait pour être relevé. Quant au foulard… Fallon saurait le porter avec élégance, mais sur elle il prendrait à coup sûr des allures de nœud coulant.

Bree ramassa son chemisier et le posa sur son lit. Que mettre ? Elle avait absolument besoin de cet emploi de factotum pour un producteur de télévision. Même si le profil du poste décrit par l'annonce était pour le moins imprécis. En quoi consisteraient exactement ses fonctions ? Elle n'en avait pas la moindre idée.

Mais peu importait. Elle n'avait pas le choix. La petite réserve qu'elle avait réussi à constituer la dernière fois qu'elle avait travaillé comme serveuse était épuisée, et la consultation des petites annonces de l'édition dominicale du *New York Times* s'était révélée particulièrement déprimante.

Certes, on recrutait dans de nombreux secteurs, mais ses deux années d'études universitaires ne lui ouvraient pas beaucoup de portes.

— Toi et moi, nous sommes à part, petite sœur, avait l'habitude de dire Sean autrefois. Tous les O'Connell ont rejoint le monde des adultes, sauf nous.

Bree entra dans la douche et fit couler l'eau froide.

Aujourd'hui, même Sean avait rejoint le monde des adultes. Le célibataire nomade qui vivait du jeu en parcourant le monde de casino en casino avait fini par se marier et se sédentariser. Il avait investi ses gains dans une luxueuse résidence touristique aux Caraïbes, tandis qu'elle-même continuait de vivre au jour le jour, passant d'un emploi à l'autre, à la recherche d'un métier qui lui plairait assez pour qu'elle ait envie de s'y consacrer durablement.

Jusqu'à présent, ses recherches n'avaient pas abouti…

Elle ferma les robinets, sortit de la douche et s'enveloppa dans un drap de bain.

Qui voudrait faire carrière comme démonstratrice de produits de beauté devant des femmes snob et blasées, possédant plus d'argent qu'elles ne pouvaient en dépenser ? Ou bien passer sa vie à vendre des vêtements à des gosses de riches qui avaient l'habitude qu'on cède à tous leurs caprices ?

Bien sûr, elle pourrait très bien vivre elle-même comme une enfant gâtée. Mais il n'était pas question d'accepter la moindre aide financière de la part de sa famille.

Quant à accepter une autre forme d'aide, il n'en était pas question non plus…

Son expérience de serveuse dans le restaurant de Keir l'hiver précédent s'était révélée positive… jusqu'au jour où elle avait délibérément renversé un verre de vin sur un client désagréable qui ne cessait pas de récriminer.

Plus récemment, elle avait décroché grâce à Fallon une séance de photos pour une nouvelle boisson de régime. Mais un représentant de la marque, qui assistait à la séance, s'était montré un peu trop entreprenant avec elle. Et le manque de diplomatie avec lequel elle l'avait remis à sa place n'avait pas été du goût de l'agence de publicité.

Si seulement elle avait pu réagir de la même manière avec Gianni Fir…

— Stop ! s'exclama-t-elle en s'adressant une grimace dans le miroir.

Elle examina le contenu de sa penderie.

Pour un entretien avec un producteur de télévision, sans doute fallait-il adopter un look à la fois chic et original. Pourquoi pas le tailleur de soie bleue, avec le T-shirt *Bella Sicilia* qu'elle avait acheté lors de sa dernière visite à Fallon et Stefano ?

La sonnerie de la porte d'entrée retentit.

Bree roula les yeux. Quoi encore ? Le gérant de l'immeuble était déjà passé pour examiner le climatiseur et l'informer qu'il ne pouvait rien faire avant d'avoir reçu une certaine pièce détachée.

Quant à Mme Schilling, qui habitait sur le même palier et lui rendait visite tous les matins, elle était déjà venue lui donner les dernières nouvelles de la soucoupe volante qui s'était posée sur le toit de l'immeuble…

Drring, drring, drring.

Sans doute était-il l'heure d'un nouveau bulletin d'information sur l'invasion des extraterrestres.

En soupirant, Bree noua fermement le drap de bain sur sa poitrine et se dirigea vers la porte. Elle ouvrit les innombrables verrous — chacun de ses frères avait tenu à installer son propre assortiment de serrures — et entrouvrit la porte.

— Alors, madame Schilling, vous avez de nouvelles…

Elle s'étrangla. Ce n'était pas son adorable-bien-qu'un-peu-folle voisine qui venait de sonner, mais ce goujat qu'elle haïssait autant qu'elle se haïssait !

En chair et en os.

Plus superbe que jamais.

Pourquoi avait-il attendu aussi longtemps avant de se décider ?

— Vous !

Oh, Seigneur, quelle originalité ! se morigéna-t-elle aussitôt.

Elle releva le menton.

— Que faites-vous ici, Firelli ?

— Il faut que je vous voie.

Eh bien, elle pouvait être rassurée. Il ne brillait pas lui non plus par son originalité… Mais pourquoi une phrase aussi banale lui faisait-elle battre le cœur à tout rompre ? Décidément, la chaleur lui ramollissait le cerveau !

— Subtile entrée en matière, ironisa-t-elle. Mais totalement inefficace. Je ne suis pas…

— Briana, c'est important. Laissez-moi entrer.

— Pas question.

— Il faut que nous parlions.

— Nous n'avons rien à nous dire. Et même si c'était le cas, n'avez-vous pas entendu parler de cette fantastique invention appelée « téléphone » ?

— Bon sang, ce n'est pas un jeu, Briana ! Il faut absolument que vous m'écoutiez.

Elle commença à refermer la porte.

— Rentrez chez vous, Firelli. Fichez-moi la paix et…

— Briana !

Gianni se précipita en avant et glissa l'épaule dans l'entre-bâillement de la porte.

— S'il vous plaît !

Cette prière, tout autant que la force exercée par l'épaule musclée, arrêta Briana. « S'il vous plaît ? » Jamais elle n'aurait imaginé que ce mot faisait partie du vocabulaire de Gianni

Firelli. Surtout quand il s'adressait à une femme... Et pourquoi avait-il une mine aussi sinistre ?

— Quelque chose ne va pas ? demanda-t-elle, soudain inquiète.

Pour toute réponse, il répéta d'un ton pressant :

— Laissez-moi entrer !

Elle sentit un grand froid l'envahir.

— Que se passe-t-il ?

— J'ai quelque chose à vous dire, répliqua-t-il d'une voix plus calme. Mais pas sur le palier. Laissez-moi entrer.

L'anxiété de Briana redoubla.

— Dites-moi ce qui se passe !

Gianni fourragea nerveusement des deux mains dans ses cheveux. Sans doute n'était-ce pas la première fois ce matin, parce qu'il était horriblement mal coiffé, constata soudain Briana. Et sa mâchoire était ombrée d'une barbe naissante. Par ailleurs, il portait un jean, un T-shirt et des chaussures de sport.

Gianni Firelli, mal rasé et en tenue décontractée, un jour de semaine ? Briana sentit ses genoux se dérober sous elle. Laissant échapper un juron, Gianni poussa le battant de la porte et la rattrapa par les épaules.

— Bree ! Ecoutez-moi. Votre sœur et votre beau-frère vont bien. Toute votre famille va bien. Ça n'a rien à voir avec eux.

— Alors, qu'est-ce que... ?

Elle le regardait fixement, les yeux agrandis par l'effroi et le visage livide. Comment lui annoncer la terrible nouvelle ? se demanda Gianni, le cœur serré.

Il prit une profonde inspiration.

— Bree...

— Briana ? Ce sont les Martiens ?

Il tressaillit et se retourna. De l'autre côté du palier, une vieille femme les regardait, les mains crispées sur la poitrine.

— Ils exigent que nous nous rendions, n'est-ce pas ?

Gianni déglutit péniblement. Dans d'autres circonstances, il aurait peut-être trouvé la situation cocasse. Mais étant donné le message dont il était porteur, le fait que cette pauvre femme le fixe d'un air terrorisé comme s'il était le diable en personne lui glaçait le sang.

— Je suis un ami de Briana, expliqua-t-il d'une voix douce. Ne vous inquiétez pas. Tout va bien.

La voisine ne parut pas convaincue.

— Vous êtes sûr ?

— Le président a déclaré qu'il n'était pas question de nous rendre, affirma-t-il en s'efforçant de sourire.

Manifestement rassurée, la femme rentra chez elle. Sans lâcher Briana qu'il tenait toujours par les épaules, Gianni pénétra dans l'appartement et referma la porte derrière lui.

La chaleur le suffoqua. Mon Dieu ! Cette pièce avait tout d'un placard et l'air y était irrespirable…

— Dites-moi ce qui est arrivé, demanda Bree d'une voix tremblante.

— Asseyez-vous d'abord.

— C'est Karen, murmura-t-elle.

Il la souleva dans ses bras et la déposa avec précaution sur le canapé en piteux état. Elle se recroquevilla contre le dossier et leva vers lui un regard anxieux.

— S'il vous plaît. Dites-moi ce qui s'est passé. C'est Karen, n'est-ce pas ?

— Oui, répondit-il d'une voix tendue.

Des larmes inondèrent les yeux de Briana.

— Oh Seigneur !

Il fallait tout lui annoncer d'un seul coup, très vite, avant que la douleur ne le submerge de nouveau et l'empêche de parler, se dit Gianni.

— Et Tomasso, ajouta-t-il.

— Tous les deux ?

— Oui.

Briana se renversa en arrière, comme si elle venait de recevoir un coup. Gianni s'approcha d'elle et lui prit les mains.

— Je suis désolé, Briana.

— Ce n'est pas possible !

— Je crains que si.

— Mais comment ? Qu'est-ce que...

— Ils étaient en Sicile, chez la grand-mère de Tomasso. Ils ont eu un accident de voiture. Les routes sont très étroites, là-bas, et...

Gianni s'interrompit. Impossible de continuer. Il avait l'impression qu'une poigne de fer lui serrait la gorge, l'empêchant de respirer.

— Ils n'ont pas souffert, déclara-t-il après un long silence.

Bree tressaillit.

— Et le bébé ?

— Le bébé va bien.

Des larmes ruisselèrent sur les joues de Briana et elle fut secouée de sanglots.

Gianni la prit dans ses bras en murmurant d'une voix rauque :

— *Cara*.

Il sentit sa gorge se nouer. Elle avait de la chance de pouvoir laisser s'écouler un peu de sa souffrance... Il aurait volontiers pleuré avec elle, mais pas une seule larme n'avait franchi ses paupières depuis les premiers coups qu'il avait reçus, à l'âge de quatre ans. Ce jour-là, devinant que des pleurs ne feraient qu'attiser la colère de son père, il avait réussi à garder les yeux secs. Depuis, plus jamais ils ne s'étaient embués.

Il enfouit son visage dans l'épaisse crinière blonde. Comment annoncer la suite à Briana ? Nul doute qu'elle serait aussi stupéfaite que lui.

Quand le notaire de Tomasso lui avait téléphoné à l'aube pour lui annoncer le décès des Massini, il lui avait également fait part d'une clause le concernant dans leur testament.

— Vous êtes certain ? avait-il demandé vingt fois.

Ce qui était stupide. Etant lui-même juriste, il savait qu'une erreur d'interprétation de la part du notaire était exclue.

Faisant preuve d'une grande patience, ce dernier avait fini par lui lire intégralement la clause en question. Ce qui ne l'avait pas empêché de continuer à répéter « Vous êtes certain ? » comme un perroquet. En désespoir de cause, le notaire lui avait demandé son numéro de fax.

Quelques minutes plus tard, il avait sous les yeux le document qui allait bouleverser sa vie.

Et celle de Briana.

— Quand est-ce arrivé ? demanda-t-elle d'une voix à peine audible.

— Il y a deux jours. Leur notaire m'a appelé ce matin.

— Deux jours...

Il la sentit frissonner contre lui. Avait-elle froid ? Non, impossible. C'était une conséquence du choc, bien sûr. Comment pourrait-elle avoir froid par cette chaleur ? Même si elle ne portait qu'un drap de bain...

Un drap de bain.

Tout à coup, Gianni prit conscience du corps à moitié nu de Briana contre le sien. De la douceur de sa peau. De la chaleur de son souffle sur son cou. De la caresse de ses cheveux blonds sur sa joue.

— Bree...

Il tenta de s'écarter de la jeune femme, mais elle le retint.

— Bree, répéta-t-il en lui caressant le dos.

Sa peau, aussi soyeuse que ses cheveux, exhalait un parfum fleuri.

A son grand dam, il sentit le désir monter en lui.

— Karen était ma meilleure amie, murmura Briana.

— Tomasso était le mien.

— Nous nous sommes rencontrées à l'université, mais c'était comme si nous nous connaissions depuis le jardin d'enfants.

— Tommy et moi étions amis depuis que nous avions dix ans.

— Je… Je n'arrive pas à croire…

Elle eut un sanglot étouffé qui déchira le cœur de Gianni. Il la serra contre lui et se mit à la bercer.

— … qu'ils ne sont plus là ni l'un ni l'autre…

— Moi non plus, murmura-t-il et lui embrassant les cheveux.

Ils restèrent silencieux pendant quelques minutes, puis elle leva la tête vers lui.

— Et le… les funérailles ?

— Elles ont déjà eu lieu. C'est la grand-mère de Tommy qui a tout organisé. Sans doute n'a-t-elle pas pensé que certains amis de Tomasso et Karen souhaiteraient faire le voyage depuis les Etats-Unis.

— Alors, nous ne pouvons même pas… leur dire adieu.

— Ils savaient que nous les aimions, fit-il valoir d'une voix qui se voulait apaisante. Peut-être le savent-ils encore.

Briana recommença à pleurer. Gianni lui chuchota des paroles apaisantes, lui caressa la joue, les cheveux. Tout à coup, elle leva la tête vers lui. Ses yeux immenses étaient noyés de larmes.

— Ils ont au moins eu la chance de se rencontrer et de s'aimer, déclara-t-elle d'une voix tremblante.

— Oui.

Qui de Briana ou de lui avait esquissé le premier geste ? devait se demander Gianni plus tard.

Mais quand leurs bouches se rencontrèrent, il ne se posa aucune question. Se laissant engloutir par ce baiser ardent, il renversa Briana sur le canapé.

Comme ses lèvres étaient douces… Son corps souple et vivant contre le sien…

Elle enfonça les doigts dans ses cheveux et ondula contre lui, attisant son désir.

Se redressant, il dénoua le drap de bain d'un geste vif, dévoilant des seins splendides à l'arrondi parfait et aux mamelons d'un rose exquis.

— Comme tu es belle ! murmura-t-il.

Ses seins semblaient faits pour se nicher dans le creux de ses paumes, songea-t-il en caressant les deux globes laiteux. Puis il se pencha sur elle et mordilla tour à tour les deux pointes hérissées.

Briana se cambra, l'invitant à s'unir à elle en murmurant son nom. Il écarta complètement le drap de bain et contempla avec émotion son corps superbe. Taille fine, hanches pleines, cuisses fuselées. Elle était sublime…

Il embrassa le triangle de sa féminité, trouva le bourgeon rose niché entre ses cuisses, et honora ce dernier du bout de la langue, se délectant de son nectar. Dans un long gémissement modulé, elle le supplia :

— Gianni, s'il te plaît…

Il se débarrassa de son jean, saisit Briana par les hanches, et entra en elle d'un mouvement doux et puissant à la fois. Alors qu'elle nouait les jambes sur ses reins pour mieux le recevoir, il s'enfonça au plus profond d'elle. Ne faisant plus qu'un, leurs deux corps enflammés s'élancèrent dans une chevauchée fantastique vers des sommets enchanteurs.

Au moment de basculer dans le gouffre du plaisir suprême, Briana poussa un cri sauvage et Gianni la rejoignit.

Pendant un instant, pendant une éternité, le temps s'arrêta.

Puis la réalité reprit ses droits.

Ecrasé par un remords indicible, Gianni roula sur le côté. Briana se redressa contre le dossier du canapé et saisit le drap de bain, dont elle se couvrit.

— Briana, je suis désolé, je ne voulais pas…

— Tais-toi. Et va-t'en…

Sa crinière blonde, ébouriffée, masquait le visage de Briana. Envahi par un profond désespoir, Gianni était pétrifié. Comment lui expliquer qu'il regrettait amèrement ce qui venait de se passer ? Qu'une fois de plus, comme dans l'ascenseur, il avait été submergé par une force irrésistible, impossible à maîtriser ?

Comment lui dire qu'il rêvait au contraire de lui faire l'amour pendant des heures ? De l'embrasser longuement tout en la couvrant de caresses. Puis d'entrer en elle avec lenteur pour la conduire jusqu'au plaisir après un long voyage, au cours duquel tendresse et passion se combineraient en un mélange détonnant…

Mieux valait se taire. Esquisser le moindre geste, prononcer la moindre parole serait une erreur.

Or il en avait déjà commis beaucoup depuis qu'il l'avait rencontrée…

— Tu es sourd ? Va-t'en !

Le cri haineux de Briana eut sur Gianni l'effet d'un électrochoc. Il sentit naître en lui les symptômes avant-coureurs de la colère. Tant mieux. C'était beaucoup moins déstabilisant que le remords ou le regret.

— Calme-toi.

— Que je me calme ?

Le ton cinglant de Briana acheva d'exaspérer Gianni.

— Oui, calme-toi ! répéta-t-il sèchement. Il est courant de chercher du réconfort dans le sexe quand on est confronté à la mort. C'est une manière de se raccrocher à la vie. Inutile d'en faire toute une histoire.

Inutile, en effet, songea Briana avec un pincement au cœur. On faisait souvent l'amour pour des raisons qui n'avaient rien à voir avec l'amour ni même avec le désir.

Et c'était justement ça le plus douloureux. La pensée qu'ils avaient fait l'amour pour de mauvaises raisons. Car même si elle ne l'avouerait jamais à personne, elle avait bel et bien rêvé de revoir cet homme et de tomber de nouveau dans ses bras, de préférence ailleurs que dans un ascenseur…

Or si son rêve venait de se réaliser, c'était parce que sa meilleure amie venait de mourir. Quelle horreur !

— Briana.

Elle leva les yeux vers Gianni. Son ton était neutre, sans aucune tendresse. Impossible de deviner qu'il venait de…

— Il faut que nous parlions.

— Tu te trompes, Firelli. Nous n'avons rien à nous dire.

Lentement, il se leva et enfila ses affaires.

— Va-t'en ! cria-t-elle.

— Crois-moi, j'aimerais beaucoup, mais…

— Mais quoi ? Bon sang ! Combien de fois vais-je devoir te répéter de t'en aller ?

La mâchoire de Gianni se crispa.

— Tomasso et Karen ont laissé un testament.

— Et alors ? Je ne vois pas en quoi ça me concerne.

— Ils t'ont désignée comme tutrice de leur bébé.

Briana se figea.

— Pardon ?

— Ils t'ont désignée comme tutrice de Lucia.

— C'est impossible.

— C'est pourtant la vérité.

Elle s'affaissa sur le divan.

Gianni prit une profonde inspiration.

— Ce n'est pas tout. Ils m'ont également désigné comme tuteur. Nous devrons élever cet enfant ensemble.

4.

Bree resta muette de stupeur. C'était impossible. Gianni n'était pas sérieux. Ce qu'il venait de lui annoncer ne pouvait pas être vrai.

Cependant, il n'avait pas l'air de plaisanter. D'ailleurs, qui pourrait avoir le cœur de faire une plaisanterie d'aussi mauvais goût ? Même lui n'en était pas capable.

Une erreur. Bien sûr. Le notaire avait fait une erreur. Quand elle eut enfin recouvré l'usage de la parole, elle fit part à Gianni de sa conviction. Il secoua la tête en sortant une feuille de papier de la poche arrière de son jean.

— Vérifie toi-même.

Elle regarda la feuille pliée en quatre avec appréhension. Non. Il ne fallait pas la prendre. Si elle évitait de la toucher, tout cela resterait peut-être irréel.

Gianni déplia la feuille et la lui mit sous les yeux.

— Lis.

C'était un fax, datant de quelques heures. Elle s'exécuta, mais les mots n'avaient aucun sens. Sans doute était-elle encore en état de choc… Soudain, elle se rendit compte que c'était de l'italien.

— Je ne… C'est en italien.

Quel idiot ! se morigéna Gianni avant de traduire le fax.

Bree fut submergée par un flot de termes juridiques incompréhensibles. De toute évidence, le jargon des juristes européens n'avait rien à envier à celui de leurs collègues américains... Mais peu importait. Un passage du texte était très clair. Celui confirmant les dires de Gianni.

« ... et par la présente, confions à Briana Claire O'Connell et à Gianni Fabrizio Firelli le soin d'élever notre fille Lucia Vittoria Massini, et de prendre en ce qui la concerne toutes les décisions qui leur paraîtront appropriées, jusqu'à sa majorité. »

— Des questions ? demanda Gianni.

— Quel est l'âge de la majorité en Italie ?

— Dix-huit ans.

— Et ici ?

— Vingt et un ans.

— Est-ce que les filles se marient plus tôt en Europe ?

— Pas à ma connaissance et de toute façon, qu'est-ce que ça change ?

— Je pensais... Je ne sais pas... J'essayais de m'imaginer le bébé en âge de se marier. Ou de voter. Ou...

Gianni arqua les sourcils.

Briana soupira.

— J'ai du mal à me projeter aussi loin dans l'avenir.

— C'est normal. Quand elle atteindra la majorité, nous serons tous les deux des vieillards, répliqua sombrement Gianni en remettant le fax dans sa poche.

A sa grande surprise, Bree pouffa.

— Tu trouves ça amusant ?

— Non. Bien sûr que non. Mais si tu voyais ta tête...

Gianni s'assit sur le canapé à côté d'elle.

— Lucia n'a que trois mois, déclara-t-il.

— Fantastique ! Il ne nous reste plus que dix-sept ans et neuf mois à tirer.

Bree eut un rire nerveux. Gianni la fusilla du regard, puis il sourit malgré lui.

— Mon Dieu ! Pauvre petite. Toi et moi, parents ?

— Tuteurs, rectifia précipitamment Briana.

Le sourire de Gianni s'estompa.

— Je n'arrive toujours pas à croire que Tommy et Karen ne sont plus là.

Il se tourna vers Briana. Ses grands yeux turquoise étaient noyés de larmes.

Il déglutit péniblement.

— Bree. A propos de ce qui s'est passé tout à l'heure…

— Ne dis rien.

— Je veux que tu saches que je ne voulais pas… Quand je t'ai prise dans mes bras, c'était uniquement pour te réconforter.

— Je sais.

— Je n'ai jamais eu l'intention de profiter de la situation. C'est juste que…

— Tu n'as pas à t'expliquer, Gianni. Je comprends… pourquoi nous avons réagi ainsi.

— Tant mieux.

Il lui prit la main.

— Parce qu'à partir d'aujourd'hui, nous allons devoir vivre en bonne entente.

— Ne t'inquiète pas. Il n'y aura pas de problème, répliqua-t-elle d'une voix crispée en retirant sa main. Il suffit d'oublier ce qui s'est passé.

Oublier qu'ils avaient fait l'amour ? Qu'il l'avait entendue crier son nom au moment où elle basculait dans le plaisir ?

— Bien sûr, acquiesça-t-il poliment.

— Pour que nous ayons une chance de nous entendre, il faut que tu me promettes d'oublier ce… cet incident, insista-t-elle, visiblement anxieuse.

— Je te le promets.

— Je vais m'habiller. Ensuite, nous pourrons discuter des mesures à prendre pour faire face à la situation.

— Bien.

Elle s'éloigna, la tête haute. Il fallait reconnaître qu'elle avait du cran, songea Gianni en la suivant des yeux.

Quant à lui, il venait de lui faire une promesse impossible à tenir. Jamais il n'oublierait ce moment de passion. Et il était certain qu'elle ne l'oublierait pas non plus.

Bree parvint à garder son sang-froid jusqu'à sa chambre. Mais dès qu'elle eut refermé la porte, elle s'affaissa sur son lit.

Seigneur ! Elle avait l'impression que le matelas tanguait et que la pièce tournoyait autour d'elle. Elle n'avait jamais perdu connaissance, mais il était inutile de consulter un médecin pour savoir qu'elle était au bord de l'évanouissement.

Cependant, il fallait absolument résister. Si elle restait trop longtemps absente, Gianni viendrait à coup sûr voir ce qui se passait. Or il n'était pas question qu'il constate à quel point les événements de la matinée l'avaient éprouvée.

Ni qu'il ait une nouvelle occasion de la voir à moitié nue. Seigneur, non ! A aucun prix.

Quel était cet exercice de relaxation qu'elle avait appris à l'université ? Fermer les yeux. Inspirer profondément. Retenir sa respiration. Puis expirer le plus longtemps possible. Inspirer de nouveau. Au moins quatre ou cinq fois de suite…

Peu à peu, le lit se stabilisa. Bree rouvrit les yeux. La pièce avait cessé de tourbillonner. Malheureusement, le cauchemar qu'elle venait de vivre était bien réel. Elle avait perdu sa meilleure amie.

Comment allait-elle réussir à surmonter la souffrance provoquée par ce drame ? Allait-elle se montrer à la hauteur de la mission que lui avait confiée Karen ?

Serait-elle capable de côtoyer Gianni Firelli sans perdre la raison ?

Un long frisson la parcourut.

Comment avait-elle pu se conduire de la sorte ? Car il ne fallait pas se voiler la face. C'était elle qui avait pris l'initiative du baiser qui avait tout déclenché. Et si elle avait pratiquement sauté sur Gianni, ce n'était pas seulement dans un réflexe de défense face à la mort. Il allumait en elle un désir inouï qu'aucun autre homme ne lui avait inspiré.

— Briana ?

Son cœur fit un bond dans sa poitrine. Gianni était juste derrière la porte. Venait-il la retrouver ? Allait-il la prendre de nouveau dans ses bras ?

— Bree ?

Pétrifiée, elle fixa la poignée de la porte, redoutant et espérant à la fois la voir tourner.

— Je vais faire du café. D'accord ?

Il lui demandait la permission de faire du café ? A grand-peine, elle réprima le fou rire nerveux qui menaçait de la submerger.

— Bien sûr ! Il est dans le placard, au-dessus du…

— J'ai vu.

Elle attendit que ses pas se furent éloignés, puis elle se leva, dénoua le drap de bain et prit une nouvelle douche en se frottant énergiquement avec le loofa. Si seulement elle parvenait à effacer le souvenir du corps de Gianni contre le sien, de ses…

— Stop ! marmonna-t-elle en offrant son visage au jet d'eau froide.

Cinq minutes plus tard, en tailleur bleu et corsage blanc, les cheveux relevés en chignon, et chaussée d'escarpins plats, elle regagna la cuisine d'un pas décidé. Gianni était appuyé contre le comptoir, une tasse de café à la main. En la voyant arriver, il prit une autre tasse, posée près de la cafetière. Elle secoua la tête.

— Je vais me servir moi-même, merci, déclara-t-elle d'un ton neutre en joignant le geste à la parole.

Il arqua un sourcil mais ne fit aucun commentaire. Parfait, songea-t-elle en buvant une gorgée de café. Sans doute avait-il compris qu'il valait mieux ne pas la contrarier.

Cette douche lui avait fait le plus grand bien et elle était à présent en état d'affronter la situation. Avant tout, il fallait s'organiser de manière à pouvoir assurer la tutelle partagée de l'enfant tout en passant le moins de temps possible ensemble…

Le regard de Briana se posa sur la pendule murale.

— Mon rendez-vous !

— Pardon ?

— Je suis en retard pour mon rendez-vous ! Il faut que je parte immédia…

— Dis-moi si me trompe, coupa-t-il d'un ton vif. Tu as quelque chose de plus important à faire que discuter avec moi de la garde de l'enfant qui nous a été confié ?

Les yeux de Bree lancèrent des éclairs.

— J'ai rendez-vous pour un entretien d'embauche. Je suis à la recherche d'un emploi, Firelli. Tu vois de quoi je veux parler, je suppose ?

— Au risque de te surprendre, je vois, oui. Figure-toi qu'il m'arrive de travailler, moi aussi.

Il but une gorgée de café.

— Au ministère de la Justice.

Elle ouvrit de grands yeux.

— Dans des costumes à mille dollars ?

Gianni baissa ostensiblement les yeux sur son jean et son T-shirt.

— Pas aujourd'hui, bien sûr, mais…

57

— Je vois à quoi tu fais allusion, coupa-t-il d'une voix doucereuse. Et je suis ravi de constater que toi non plus tu n'as pas oublié notre dernière rencontre.

A son grand dam, Bree sentit son visage s'empourprer. Quelle idiote !

— Je suis simplement étonnée que les membres du ministère public gagnent aussi bien leur vie, déclara-t-elle avec une pointe d'agressivité.

Il eut un haussement d'épaules désinvolte.

— En fait, ce n'est pas très rémunérateur.

— Ah, je comprends mieux. Tu es né avec une cuillère en argent dans la bouche et tu ne travailles que pour chasser l'ennui.

Gianni réprima un sourire. Décidément, elle se donnait beaucoup de mal pour lui prouver son mépris...

— Tout ce que je possède, je l'ai gagné. Pendant plusieurs années j'ai exercé comme avocat-conseil, occupation bien plus lucrative que ma fonction actuelle, comme tu peux t'en douter.

Il eut une moue sarcastique.

— Il se trouve que j'ai investi judicieusement mon argent, si bien qu'un jour, en consultant mon compte en banque, j'ai eu le plaisir de constater que j'avais les moyens de choisir un travail moins rentable mais plus satisfaisant.

Il finit sa tasse de café.

— Y a-t-il autre chose que tu veuilles savoir ?

Briana serra les dents.

— Rien du tout. Et tu aurais pu te passer de me donner tous ces détails. Ils ne m'intéressent absolument pas.

Gianni posa sa tasse et mit les mains dans les poches arrière de son jean.

— Il est naturel que nous apprenions à mieux nous connaître, étant donné que nous allons passer les dix-huit prochaines années de notre vie ensemble.

Briana tressaillit.

— Pardon ?

— Moins trois mois, très exactement. Tu te souviens que nous sommes chargés d'élever Lucia jusqu'à sa majorité, je suppose ?

— Bien sûr, mais… ça ne signifie pas que nous allons vivre ensemble, fit valoir Briana d'une voix étranglée.

— Non, bien sûr. Même les vrais parents s'accordent quelques semaines de répit de temps à autre.

Briana ouvrit de grands yeux.

— De quoi parles-tu ?

De quoi, en effet ? se demanda Gianni. Au départ, il avait à l'esprit plusieurs solutions qui leur permettraient de respecter les dernières volontés de Tomasso et de Karen tout en gardant leurs distances. Mais à présent, ces solutions lui paraissaient peu satisfaisantes et déloyales envers Lucia. Il allait falloir s'organiser autrement.

— Nous en discuterons plus tard, puisque tu as rendez-vous.

Bree laissa tomber son sac sur le comptoir et croisa les bras d'un air de défi.

— J'ai changé d'avis. En fait, il est beaucoup trop tard. Ça ne sert à rien d'y aller maintenant. Je téléphonerai pour m'excuser. De toute façon, étant donné les circonstances, je ne suis pas…

La voix de Briana s'éteignit. Elle prit une profonde inspiration et déclara d'un ton qu'elle voulait serein :

— Procédons par étapes. Où se trouve le bébé, actuellement ? En Sicile, avec son arrière-grand-mère ?

— Oui.

— La pauvre femme doit être complètement perdue après ce qui s'est passé…

— En effet. D'après le notaire, plus vite nous récupérerons Lucia, mieux ce sera.

— La récupérer ?

— Bien sûr. Il n'est pas question qu'elle reste avec son arrière-grand-mère, puisque nous sommes ses tuteurs.

— Non. Bien sûr que non. C'est juste que…

Bree déglutit péniblement. A vrai dire, jusque-là elle n'avait pas vraiment envisagé la situation d'un point de vue pratique. Pourtant, ils avaient justement une foule de problèmes concrets à résoudre.

— Sais-tu t'occuper d'un bébé ? demanda Gianni.

Bree songea à son tout nouveau statut de tante. Elle était capable de changer une couche et de donner un biberon. Mais cela signifiait-il qu'elle savait s'occuper d'un bébé ?

— Non, répondit-elle avec honnêteté. Et toi ?

Gianni eut une moue de dérision.

— Ai-je l'air d'un papa poule ?

— Non, pas vraiment. Je te vois plutôt comme un célibataire endurci.

— Je ne t'imagine pas avec la corde au cou toi non plus.

— Est-ce ainsi que tu vois le mariage ?

— A peu près, oui. Bien sûr, j'envisage de fonder une famille un jour où l'autre. Mais pour l'instant ça ne fait pas partie de mes priorités.

— Moi non plus, je ne suis pas prête.

— C'est ce que j'ai cru comprendre.

Elle ouvrit de grands yeux.

— Que veux-tu dire ?

Gianni haussa les épaules.

— D'après Stefano tu es un papillon, qui voltige d'un endroit à l'autre sans jamais te fixer.

— Stefano est trop bavard.

Bree enleva la veste de son tailleur. Quelle chaleur ! Elle avait l'impression d'étouffer. D'autant plus que la présence de Gianni faisait paraître la cuisine encore plus exiguë qu'à l'accoutumée.

Mieux valait poursuivre la conversation dans le salon. Quoique… Elle ne pourrait plus jamais s'asseoir sur le canapé ni même le regarder sans devenir écarlate.

— Si nous discutions de tout ça ailleurs ? suggéra-t-elle d'un ton qu'elle espérait léger. Il y a un café en bas de l'immeuble.

Gianni regarda sa montre.

— En fait, je dois filer. Prenons rendez-vous en début de soirée. A 19 heures, Chez Luna. Tu connais ? C'est au coin de la 57e et de Madison. Nous prendrons l'apéritif, puis nous dînerons.

Comme des amoureux, songea Bree. S'imaginait-il qu'elle était prête à retomber dans ses bras ?

— Je ne peux pas. En revanche, je te propose de nous voir à 17 heures au café.

— Tu es prise, ce soir ?

A en juger par son ton désinvolte, il s'en moquait éperdument, songea Briana. De toute évidence, il n'envisageait pas leur soirée comme un tête-à-tête entre amoureux...

Ce qui était une excellente chose puisqu'elle n'avait aucune intention de renouveler l'expérience de la matinée. Si elle avait éprouvé des sensations aussi intenses, c'était à cause du choc qu'elle avait subi en apprenant la mort de Karen et de son besoin d'effacer sa souffrance. Ça n'avait rien à voir avec Gianni…

— Briana ? Tu as déjà un rendez-vous, ce soir ?

— Oui.

— Annule-le.

Elle frissonna. La voix de Gianni était douce, caressante… Mais elle avait dû mal comprendre.

— Pardon ?

— Annule ton rendez-vous.

Donc, elle avait bien compris. En revanche, elle avait dû rêver sa voix douce et caressante...

Briana serra les dents. Ce ton crispé était celui du Gianni Firelli qu'elle détestait. Arrogant. Autoritaire. Si imbu de lui-même qu'il ne pouvait pas imaginer qu'une femme puisse lui dire « non ». Et ce qui s'était passé entre eux tout à l'heure n'avait fait que le conforter dans ses certitudes, bien sûr…

Il était temps de mettre les choses au point. Elle lui adressa un sourire aussi éclatant que factice.

— Pas question.

A sa grande satisfaction, Gianni crispa la mâchoire, visiblement furieux. D'un ton sec, il demanda :

— Avec qui as-tu rendez-vous ?

Avec Johnny Depp dans une rediffusion d'*Arizona Dream*, mais pas question de l'avouer. Briana eut un nouveau sourire factice.

— Ça ne te regarde pas.

— Mauvaise réponse, *cara*.

Il avança vers elle, lentement, le visage impénétrable. L'atmosphère de la cuisine se chargea d'électricité.

L'instinct de Bree l'incitait à tourner les talons et à quitter la pièce. Cependant, elle avait grandi dans une région infestée de pumas et on lui avait inculqué une règle de base. Quand on rencontrait un fauve, il ne fallait surtout pas s'enfuir, mais lui faire face sans bouger.

Trahir sa peur avait pour effet d'accroître la faim de l'animal.

Elle ne cilla pas jusqu'à ce que Gianni arrive à quelques

centimètres d'elle. A ce moment-là, irritée contre elle-même, elle recula de deux pas.

— Tu n'as pas le droit…

— Aurais-tu décidé de ne pas assumer tes responsabilités ? coupa-t-il d'une voix glaciale.

— Pas du tout ! Je n'ai jamais dit…

— Il est urgent que nous prenions des décisions.

Bree serra les dents. Pour qui se prenait-il ? S'il s'imaginait qu'il allait tout régenter, il se trompait !

— Justement. Voyons-nous à 17 heures pour en discuter.

Gianni tendit la main, enroula une des boucles de Briana autour de son doigt, puis tira doucement dessus, l'obligeant à se rapprocher de lui.

Elle lui donna une tape sur la main.

— Lâche ça s'il te plaît.

— Pourquoi ?

Il porta la boucle à sa bouche.

— J'aime le contact de tes cheveux sur mes lèvres. Ils sont doux comme de la soie.

— Arrête.

— Presque aussi doux que ta peau. Je t'ai menti, tout à l'heure. Je ne pourrai jamais oublier que nous avons fait l'amour.

Le cœur de Briana se mit à battre la chamade. Pourquoi les tremblements de terre ne se produisaient-ils jamais au bon moment ? Si seulement le plancher pouvait s'ouvrir sous ses pieds et l'engloutir !

— Nous n'avons pas fait l'amour, objecta-t-elle d'une voix qu'elle espérait assurée. Nous avons couché ensemble.

Gianni rit.

— Pourquoi joues-tu sur les mots ?

— Tu m'as parfaitement comprise.

Il la prit dans ses bras et l'attira contre lui. A sa grande satisfaction, il sentit les battements frénétiques de son cœur contre son torse. Elle avait beau se raidir et tenter de résister, elle était troublée…

— Oui, je t'ai comprise.

Se penchant sur elle, il effleura ses lèvres.

— La prochaine fois, ce sera différent.

— Il n'y aura pas de prochaine fois.

— Non ?

— Non.

Il rit de nouveau, tandis qu'elle se débattait de plus belle.

— Dix-huit ans, c'est long, O'Connell.

— Dix-huit… ?

— Eh oui ! Ne fais pas semblant d'avoir oublié que c'est la période pendant laquelle nous allons nous fréquenter assidûment.

— Je ne vois pas pourquoi nous devrions nous fréquenter assidûment.

Elle posa les mains sur le torse de Gianni pour le repousser. Il la lâcha et croisa les bras.

— Vraiment ? lança-t-il d'un air goguenard.

— Bien sûr. Il suffira de nous rencontrer de temps en temps pour nous mettre d'accord sur les décisions à prendre.

— Les décisions à prendre ? répéta-t-il d'un ton qui donna à Briana une furieuse envie de le gifler.

— Oui. Dans quelle école la mettre. Où l'envoyer en vacances...

— Je te rappelle qu'elle n'est pas encore en âge d'être scolarisée, ironisa-t-il. Nous avons tout le temps de choisir une école. En revanche, il y a une foule de problèmes plus urgents à régler.

C'était exaspérant, mais il avait raison, reconnut Briana intérieurement.

— Par exemple, nous devrons sans doute engager une

nurse, poursuivit-il. Mais avant tout, il faut décider du lieu où l'installer quand nous la ramènerons.

— Oui, bien sûr.

Légèrement étourdie, Briana suivit Gianni dans le salon.

— Il n'y a pas de place pour un bébé, ici, déclara-t-il en promenant son regard autour de lui.

Briana fut prise de vertige.

Seigneur ! Tout allait trop vite. Elle n'arrivait pas à imaginer la vie avec un bébé. Etait-elle capable de supporter un tel bouleversement ? Gianni avait raison. Elle allait devoir déménager.

— Par ailleurs, il ne serait pas juste que tu sois la seule à assurer le quotidien.

— C'est vrai. Mais comment…

— L'appartement contigu au mien est à vendre. Je vais l'acheter. Par chance, les propriétaires cèdent également les meubles. Si tout se passe bien, tu pourras emménager au début de la semaine prochaine.

— Attends une minute…

— Il comporte quatre pièces, je pense, poursuivit-il en l'ignorant. Peut-être cinq. Je vais prendre contact avec un entrepreneur pour étudier les possibilités de réunir les deux appartements.

— Les réunir ? Attends un peu…

— Et pour ce soir, il faut oublier le dîner. Nous discuterons de tout ça dans l'avion.

— Quel avion ?

— Celui que je vais affréter.

Briana réprima un soupir. Bien sûr… Pour M. Gianni Firelli affréter un avion ne présentait pas plus de difficultés qu'acheter un appartement en plein New York. Pourquoi posait-elle des questions idiotes ?

— Nous pouvons être en Sicile demain matin. Tu as un passeport, n'est-ce pas ?

— Gianni, il n'est pas question que j'emménage dans un appartement contigu au tien ni que je prenne l'avion ce soir pour...

— Tu m'as bien dit que tu cherchais un emploi ?

— Oui, mais...

— Eh bien, à présent tu en as un. Tu t'occuperas du bébé pendant la journée. Je serai là tous les soirs, bien sûr, et j'engagerai une nourrice pour t'aider, mais...

— Stop ! s'écria Briana.

A sa grande satisfaction, Gianni se figea. Peut-être allait-il enfin consentir à l'écouter...

— Pour qui me prends-tu ? Il ne t'est pas venu à l'esprit de me consulter pour savoir si j'étais d'accord pour quitter mon appartement ? Pour habiter sur le même palier que toi ? Pour passer mes journées à m'occuper du bébé ?

Il la contempla pendant un long moment. S'il se permettait le moindre sarcasme, elle lui arrachait les yeux, décida-t-elle. Mais à sa grande surprise, il hocha la tête.

— Tu as raison. J'aurais dû te consulter.

— Eh bien, il va falloir que je révise mon jugement, persifla-t-elle. Figure-toi que je te prenais pour un macho autoritaire et arrog...

— Je te pose donc la question, Briana O'Connell, coupa-t-il d'un ton posé. As-tu l'intention oui ou non de respecter les dernières volontés de nos amis ?

Elle pâlit.

— Tu n'as pas le droit ! C'est injuste ! Le problème est beaucoup plus compliqué que...

— Réponds, s'il te plaît. Es-tu prête à assumer les responsabilités que Karen et Tomasso t'ont confiées et à agir en conséquence ?

Seigneur, comme elle avait envie de le gifler !

— Je viens de te dire que…

Gianni l'agrippa par les épaules.

— Acceptes-tu d'être la tutrice de Lucia, oui ou non ?

Briana sentit la haine se lover au fond d'elle comme un serpent venimeux.

— Oui ! répondit-elle d'une voix sifflante. Tu le sais parfaitement. Mais sache que chaque minute passée en ta compagnie sera pour moi un véritable supplice. Sache que…

La bouche de Gianni s'empara de la sienne. Elle tenta de se dérober, mais il emprisonna son visage entre ses mains et continua de l'embrasser jusqu'à ce qu'elle finisse par s'alanguir dans ses bras en répondant à son baiser avec une ardeur égale à la sienne.

Quand il finit par s'arracher à ses lèvres, elle tremblait de la tête aux pieds.

— Je viendrai te chercher à 19 heures, annonça-t-il.

Puis il tourna les talons et quitta l'appartement, la laissant muette de rage.

5.

La colère de Briana retomba rapidement.

Même si c'était exaspérant, il fallait reconnaître que Gianni avait raison. Accepter la tutelle de Lucia impliquait de passer à l'action au plus tôt. Elle n'avait pas le choix.

Car il n'était évidemment pas question de fuir ses responsabilités. Karen était sa meilleure amie et elle avait bien l'intention de respecter sa volonté.

Cependant, elle aurait préféré que Karen l'informe de ses intentions, songea-t-elle en prenant des vêtements dans sa penderie pour les jeter en vrac dans une valise. Cela n'aurait pas changé grand-chose au problème. Elle aurait accepté avec émotion cette preuve de confiance, bien sûr.

Cependant, si elle avait été avertie, cette responsabilité lui aurait peut-être paru un peu moins écrasante. Pourquoi Karen et Tomasso ne leur avaient-ils pas fait part à Gianni et à elle d'une décision aussi importante ?

Sans doute parce qu'ils étaient jeunes et croyaient avoir la vie devant eux. On avait beau prévoir le pire, on ne pouvait s'empêcher de penser qu'il n'arrivait qu'aux autres…

Bree s'essuya les yeux.

Mais après tout, peut-être Karen avait-elle eu l'intention de l'informer. Avant son départ pour la Sicile, elle lui avait passé un coup de fil.

— Tommy et moi nous allons partir quelques semaines, lui avait-elle dit. On déjeune ensemble à notre retour, d'accord ? Ça fait une éternité que nous n'avons pas pris le temps de bavarder tranquillement.

Peut-être avait-elle prévu de lui annoncer la nouvelle à cette occasion ?

Bree enleva une robe de son cintre, la plia vaguement et la mit dans la valise. Quelle importance, à présent ? Karen et son mari n'étaient plus là…

Elle refoula ses larmes.

Si seulement elle n'était pas obligée de composer avec Gianni Firelli… Cet homme était d'une arrogance ! S'imaginait-il vraiment qu'elle allait accepter sans broncher de se plier à ses diktats ? Si c'était le cas, il allait être très déçu.

Après tout, si Karen l'avait choisi comme tuteur de sa fille, il ne pouvait pas être complètement mauvais. Malheureusement, elle avait beau tenter de s'en convaincre, elle n'y parvenait pas. Peut-être était-ce Tomasso qui avait insisté.

Briana soupira et se laissa tomber sur le lit à côté de sa valise. Non. Karen n'aurait jamais cédé à la pression. Pas plus que Tomasso n'aurait eu l'idée de confier sa fille à quelqu'un uniquement parce que c'était un vieil ami. Ils devaient avoir tous les deux une confiance absolue en Gianni.

A vrai dire, le plus étonnant était qu'ils l'aient désignée comme cotutrice. Certes, Karen n'avait plus aucune famille et elle était son amie la plus proche. Mais justement. La connaissant aussi bien, comment avait-elle pu avoir l'idée saugrenue de lui confier la responsabilité d'élever sa fille ?

Karen savait mieux que quiconque à quel point elle était versatile. Elle n'ignorait pas que jusqu'à présent, Briana avait toujours refusé de s'engager à long terme, que ce soit dans sa vie professionnelle ou sentimentale.

Etait-ce le profil d'une femme à qui on pouvait confier sans crainte l'éducation d'un enfant ?

A moins que…

Sept ou huit mois plus tôt, Karen l'avait appelée pour lui proposer de l'emmener à une conférence sur l'Energie Vitale.

— As-tu entendu parler de James LaRue ? avait-elle demandé.

Bree avait pouffé.

— Pour ne pas avoir entendu parler de lui, il faudrait vivre sur la banquise !

— Eh bien, figure-toi que j'ai deux billets pour son supershow ultra-complet à Madison Square Garden. Tu veux venir ?

En tant que chroniqueuse dans un journal de Greenwich Village, Karen disposait régulièrement d'invitations à toutes sortes de spectacles et d'événements.

— Je ne suis pas sûre d'être capable de supporter une heure de prêchi-prêcha.

James LaRue était un gourou des temps modernes, chantre d'une pseudo-méthode de développement personnel.

— En fait, ça dure deux heures, avait répliqué Karen en riant. Mais ne t'inquiète pas. Si c'est vraiment trop barbant, nous partirons avant la fin. Allez, viens. Je suis sûre que ça sera très amusant, au contraire.

Pour faire plaisir à Karen, Briana avait accepté de l'accompagner. L'ambiance survoltée de la réunion était impressionnante. Le public était visiblement subjugué par les hurlements de LaRue.

— Quel est votre potentiel d'Energie Vitale ?

Des cris avaient fusé de toutes parts.

— Cinq !

— Huit !

— Trois !

— Dix est le score maximum, avait précisé Karen. On l'atteint si on a un plan de carrière, si on est engagé dans un mouvement ou une association, ou encore si on vit une relation de couple durable.

En roulant les yeux, Bree avait rétorqué que dans ce cas, son potentiel était de « moins quatre ». Elles s'étaient esclaffées en chœur, mais quand LaRue avait annoncé qu'il allait passer dans le public pour inviter certains participants à commenter leur potentiel d'Energie Vitale, Karen avait indiqué la sortie d'un signe de tête.

— Allons-y.

Elles s'étaient retrouvées attablées dans un petit café de Little Italy devant des pizzas et du *vino*. En se léchant les doigts, Bree avait juré qu'elle n'avait jamais rien mangé d'aussi bon.

— C'est Tommy qui a découvert cet endroit, avait précisé Karen. Epouser un Sicilien présente certains avantages.

Elle lui avait pris la main.

— Oh, Bree, je suis si heureuse ! Qui aurait pu le prévoir ? Quand nous étions étudiantes, nous nous demandions comment on pouvait avoir envie de partager chaque jour de sa vie avec un homme, tu te souviens ?

— Et comment ! Contrairement à toi, je me pose toujours la question, figure-toi.

— Eh bien, ma vie avec Tommy est un véritable enchantement. Jamais je n'aurais cru qu'on pouvait être aussi heureuse. Je suis sûre que toi aussi tu connaîtras un jour ce bonheur. Tu le mérites.

— Est-ce le niveau lamentable de mon potentiel d'Energie Vitale qui te préoccupe ? avait plaisanté Briana.

Mais Karen était restée très sérieuse.

— Si LaRue mesurait le potentiel de générosité et de dévouement, tu obtiendrais le score maximum, avait-elle répliqué d'un air grave.

Briana se leva et ferma la valise. Etait-ce parce qu'elle la trouvait généreuse et dévouée que Karen l'avait désignée comme tutrice de sa fille ?

En tout cas, il ne lui restait plus qu'à se montrer digne de cette confiance. Et à expliquer à l'impérieux Gianni Firelli que les décisions concernant Lucia devaient se prendre à deux…

A 19 heures précises, la sonnerie de la porte d'entrée retentit. Prenant une profonde inspiration, Briana alla ouvrir en s'apprêtant à mettre les choses au point sans attendre.

Mais elle resta bouche bée devant un homme d'un certain âge, vêtu d'un pantalon kaki et d'une chemise bleu pâle, qui s'inclina légèrement devant elle avec un sourire courtois.

— Bonsoir, mademoiselle O'Connell, je suis le chauffeur de M. Firelli. Mon nom est Charles.

Pourquoi était-elle surprise ? se demanda-t-elle avec dérision en suivant Charles dans l'escalier après lui avoir confié sa valise. Quelle voiture prestigieuse était chargé de conduire le chauffeur de M. Firelli ? Une Mercedes ? Une BMW ?

Quand elle vit l'imposante Mercedes garée le long du trottoir, elle ne put s'empêcher de sourire.

— Qu'y a-t-il de si amusant ? demanda Gianni quand elle monta à l'arrière.

— Rien, répliqua-t-elle en croisant les mains sur les genoux.

Il était si prévisible ! Le chauffeur. La voiture. La tenue vestimentaire — jean et T-shirt avaient été remplacés par un costume gris, visiblement taillé sur mesure, une chemise blanche et une cravate bordeaux. Il avait même un ordinateur portable ouvert sur les genoux ! C'était la caricature parfaite de l'homme important et fier de l'être.

Malheureusement, quelle que soit sa tenue, il était toujours aussi splendide. Bon sang ! Pourquoi lui faisait-il un tel effet ?

Elle prit une profonde inspiration.

— Avant que nous partions, je tiens à mettre les choses au point. Nous sommes l'un et l'autre responsables au même titre de l'avenir de Julia, n'est-ce pas ?

— Oui. Et alors ?

— Alors, dorénavant, tu es prié de ne plus prendre une seule décision sans me consulter.

Il arqua un sourcil.

— Me suis-je permis de faire cela ?

— Nous partons en Sicile ce soir, à l'heure que tu as choisie, dans un avion que tu as affrété. A notre retour, je suis censée emménager dans un appartement que tu auras acheté, pour m'occuper de Lucia avec l'aide d'une nurse que tu vas engager.

Bree eut un sourire factice.

— Ai-je oublié quelque chose ?

Gianni éclata de rire.

— Je ne crois pas !

— Eh bien, j'ai le regret de t'informer que ça ne pourra jamais fonctionner entre nous si tu ne changes pas de comportement. J'ai horreur qu'on me dise ce que je dois faire.

— Parce que ?

Il avait posé la question d'un ton si courtois qu'on aurait presque pu croire qu'il était sérieux, se dit Bree en levant les yeux au ciel.

Ça alors, il était vraiment sérieux ! comprit-elle au bout de quelques secondes, devant son regard interrogateur. « Oh, Karen ! Comment as-tu pu me faire ça ? », ne put-elle s'empêcher de penser.

— Parce que je suis une femme indépendante, dotée d'un cerveau en état de fonctionnement, Firelli. Même si tu as du mal à le croire.

— La plupart des femmes que j'ai fréquentées aimaient être prises en charge.

— Eh bien, ce n'est pas mon cas. Et de toute façon, ça n'a rien à voir. Nous sommes cotuteurs. Rien de plus.

Gianni ferma son ordinateur, croisa les bras et darda sur Briana un regard noir. Comme lui, elle avait choisi une tenue appropriée aux circonstances. Tailleur blanc, bas, escarpins blancs. Elle avait une allure très respectable. Et elle était jolie à croquer…

Bon sang ! Il avait passé l'après-midi à tenter de se persuader que ce qui s'était passé entre eux ce matin avait suffi à assouvir son désir pour elle.

Si seulement ! En réalité, il la désirait plus que jamais…

A présent qu'il avait goûté au plaisir sublime de serrer dans ses bras ce corps fantastique, de butiner les deux bourgeons hérissés de ses seins, de déguster le nectar de sa fleur humide, d'entrer en elle pour ne plus former qu'un seul…

— As-tu entendu ce que j'ai dit ?

Il tressaillit. Briana le regardait d'un air de défi. De quoi parlait-elle ? Ah, oui. Elle voulait être consultée avant chaque décision. Il fallait reconnaître que c'était un souhait légitime. Pour que leur tandem fonctionne, il fallait coopérer sur un pied d'égalité.

Pas de doute, il allait être obligé de se faire violence. Car au risque de paraître horriblement macho, il ne lui déplaisait pas d'avoir le contrôle de la situation dans ses relations avec les femmes.

Et il n'avait pas menti à Briana. Toutes celles qu'il avait fréquentées jusque-là appréciaient ce trait de caractère. Certes, c'était vieux jeu, mais sans doute était-ce lié à ses origines.

Après tout, il était né en Sicile et avait été élevé dans un quartier de New York fortement empreint de culture italienne.

Mais peu importait. La fille de Tomasso devait rester sa préoccupation essentielle.

— Je t'ai entendue, répliqua-t-il calmement. Tu as entièrement raison.

En voyant la stupéfaction se peindre sur le visage de Briana, il réprima un sourire.

— Je n'aurais pas dû prendre de décisions sans te demander ton avis.

— Ravie que tu le reconnaisses.

— Laquelle de ces décisions souhaites-tu remettre en question ?

A sa grande joie, il la vit hésiter. Visiblement, c'était surtout pour le principe qu'elle avait protesté, et elle ne s'attendait pas à ce qu'il cède aussi facilement.

— Peut-être préférerais-tu attendre quelques jours avant de partir en Sicile ? demanda-t-il d'une voix suave.

— Bien sûr que non ! Je voulais juste dire…

— Ou peut-être préfères-tu que nous voyagions en avion de ligne ?

— Ne sois pas ridicule ! Tu sais parfaitement que je ne faisais pas allusion au…

— A moins que ce soit la perspective de déménager qui te déplaise ? Tu préfères peut-être que je prenne un appartement dans ton immeuble ?

Bree leva les yeux au ciel.

— Cesse de me prendre pour une idiote, s'il te plaît ! Toi, vivre où je vis ? Aucun risque !

— Pour quelle raison ?

— L'immeuble est vieux et mal entretenu. Les appartements sont minuscules. La rue est bruyante et pas particulièrement sûre…

— L'endroit idéal pour élever un enfant, en somme, coupa-t-il avec un sourire malicieux.

Elle s'empourpra.

— D'accord, tu as raison. Mais…

— Mais à l'avenir, nous devrons nous mettre d'accord avant de décider quoi que ce soit. Pas de problème. Ce sera d'autant plus facile que nous vivrons sur le même palier. Nous pourrons discuter le matin au petit déjeuner. Ou bien le soir, au dîner…

Il s'interrompit. De quoi diable parlait-il donc ? Visiblement, Briana se posait la même question. Ça se voyait à son air interloqué.

Il était en train de dépeindre une vie de couple, or ce n'était nullement à l'ordre du jour. Il n'était pas prévu qu'ils vivent ensemble, mais sur le même palier. Ça n'avait rien à voir !

— Pas tous les jours, bien sûr, reprit-il. Nous pourrions nous réunir deux fois par semaine, par exemple. Une fois le matin, une autre fois le soir.

Certes, elle risquait de le trouver une fois de plus un peu trop directif. Mais après tout, il pouvait bien faire des propositions, non ?

— Pourquoi pas ? répliqua-t-elle à sa grande satisfaction.

— Parfait. A notre retour, je prendrai contact avec une agence pour engager une nurse. Je sélectionnerai deux ou trois candidates, et ensuite, tu pourras… Qu'y a-t-il ?

— C'est moi qui téléphonerai à une agence. Et c'est moi qui sélectionnerai deux ou trois candidates, parmi lesquelles nous choisirons ensemble celle qui nous paraît la meilleure.

Bree observa attentivement Gianni. Il ne semblait pas particulièrement enchanté par son intervention. Nul doute qu'elle allait avoir droit à une réflexion acerbe…

Mais à sa grande surprise, il se contenta d'acquiescer d'un ton neutre.

— D'accord.

Toutefois, il était bel et bien contrarié, comprit-elle en le voyant rouvrir son ordinateur d'un geste brusque puis fixer l'écran d'un regard noir. Il ne lui adressa plus la parole de tout le voyage, excepté pour lui dire d'attacher sa ceinture à bord de l'avion.

Huit heures plus tard, ils atterrissaient à Palerme. Une Ferrari noire rutilante les attendait à l'aéroport.

Pas de chauffeur, cette fois ? songea-t-elle avec ironie en montant à côté de Gianni.

Au même instant, il se tourna vers elle pour lui donner le même ordre que dans l'avion sur le même ton impérieux.

— Attache…

— Aussi incroyable que cela puisse paraître, je n'ai pas besoin d'un homme pour me dire quand je dois attacher ma ceinture, coupa-t-elle d'une voix doucereuse.

— Si j'ai bien compris, tu estimes ne jamais avoir besoin d'un homme.

— Tu…

Elle poussa un cri étranglé, tandis qu'il la prenait dans ses bras et capturait sa bouche dans un baiser sauvage.

Elle se débattit, mais il la maintint fermement contre lui sans lâcher prise. Elle le mordit, cependant il ignora la douleur et continua de l'embrasser fougueusement jusqu'à ce qu'elle noue les bras autour de sa nuque en laissant échapper un gémissement.

Bon sang ! Cette femme allait le rendre fou. Et de toute évidence, c'était réciproque. L'ardeur avec laquelle elle répondait à présent à son baiser en était la preuve. Tout comme les battements frénétiques de son cœur, qu'il sentait cogner dans sa poitrine au même rythme que le sien. Allons, il fallait absolument qu'il reprenne le contrôle de lui-même…

Au prix d'un immense effort, il s'arracha à ses lèvres et la lâcha. Elle s'affaissa contre son dossier, visiblement effarée. Mon Dieu, si seulement il pouvait lui avouer qu'il se sentait lui aussi complètement dépassé par la situation… Cependant, mieux valait s'abstenir.

— Attache cette fichue ceinture, marmonna-t-il en mettant le contact.

« Tomasso, comment as-tu pu me mettre dans cette situation impossible ? », songea-t-il en démarrant.

6.

Des flaques de pluie parsemaient la route des Madonie. Briana regardait fixement devant elle, les mains croisées sur les genoux.

Gianni n'avait pas dit un mot depuis qu'il lui avait une nouvelle fois ordonné d'attacher sa ceinture après l'avoir embrassée. Quant à elle, elle était beaucoup trop irritée pour prononcer un seul mot ! Irritée contre lui pour l'avoir embrassée, et encore plus irritée contre elle-même pour avoir fini par lui rendre son baiser.

Là n'était pas le plus grave, pourtant… En réalité, elle ne parvenait pas à chasser de son esprit le souvenir de leur brève étreinte de la matinée. Brève mais inoubliable…

Briana jeta un coup d'œil furtif à son compagnon. Il conduisait beaucoup trop vite, mais il n'était pas question de lui demander de ralentir. Il serait trop content de la sentir vulnérable.

Elle renversa la tête en arrière.

« Karen, comment as-tu pu me mettre dans cette situation impossible ? »

La perspective d'élever un enfant était angoissante, mais d'une manière ou d'une autre, elle parviendrait à s'en sortir. En revanche, vivre sur le même palier que Gianni n'était pas envisageable. Pour de multiples raisons, ce serait un véritable enfer.

Bien sûr, il fallait penser avant tout au bien-être du bébé, et sur un point, Gianni avait raison. Elle devait déménager. Son appartement et son quartier étaient invivables pour un enfant. Toutefois, rien ne l'obligeait à s'installer dans l'appartement voisin de celui de Gianni.

Quand Karen et Tomasso les avaient choisis comme cotuteurs, ils n'avaient sûrement pas l'intention de les condamner à la cohabitation ! Sans doute avaient-ils prévu qu'elle s'occuperait de leur fille au quotidien, tandis que Gianni prendrait en charge les aspects juridiques et financiers de son éducation. C'était ce qui paraissait le plus logique.

Elle n'avait donc aucune raison d'habiter sur le même palier que Gianni, ni même dans son immeuble. Elle déménagerait, certes, mais pour s'installer dans l'appartement et le quartier de son choix.

Elle l'annoncerait à Gianni dès qu'ils seraient arrivés chez l'arrière-grand-mère de Lucia. Ce qui ne devrait plus tarder. Quel était donc le nom de cette ville où ils devaient quitter la route principale ?

— Cefalù.

Bree se tourna vivement vers Gianni. Se serait-elle posé la question à voix haute ?

— Nous venons de passer devant un panneau indiquant Cefalù mais je n'ai pas vu combien il restait de kilomètres à parcourir. Et toi ? demanda-t-il.

Comment pourrait-elle avoir l'esprit à lire les panneaux, alors qu'elle réfléchissait à la façon dont elle allait organiser sa nouvelle vie de tutrice ?

— Il fait nuit, répliqua-t-elle d'un ton sec. Et tu conduis comme un cinglé. Si tu veux que je puisse te renseigner, ralentis.

— J'aime conduire vite.

Même dans la pénombre, on voyait distinctement que sa mâchoire était crispée, constata-t-elle. Preuve qu'il était furieux. Pourquoi ? C'était plutôt elle qui avait des raisons d'être furieuse !

— « J'aime conduire vite », répéta-t-elle en l'imitant. Quelle preuve de maturité...

— Je connais cette route. Je l'ai déjà prise plusieurs fois.

— Ce n'est pas une raison. Et tu ne m'avais pas dit que tu connaissais la grand-mère de Tomasso. Quel genre de femme est-ce ?

— Je ne l'ai jamais rencontrée, mais d'après ce qu'en disait Tommy, c'est une femme très énergique et pas commode du tout.

— Pourtant, il devait l'apprécier. Sinon, pourquoi aurait-il parcouru tout ce chemin pour lui présenter sa fille ?

— Parce qu'il avait le sens du devoir, répliqua Gianni d'un ton désabusé. *La famiglia* est sacrée en Italie en général et en Sicile en particulier. Tommy n'aimait pas cette femme, mais il tenait à respecter la tradition.

Gianni poussa un soupir.

— Et aujourd'hui qu'il n'est plus là, il est de mon devoir de respecter ses dernières volontés.

— Il est de *notre* devoir de respecter les dernières volontés de *Karen et* de Tomasso, rectifia-t-elle vivement.

— D'accord.

A vrai dire, il n'était pas exclu que la grand-mère de Tommy ne partage pas ce point de vue, songea Gianni. Son instinct lui disait qu'il allait falloir faire preuve d'une grande diplomatie dans les prochaines heures. Il connaissait suffisamment la Sicile, les Siciliens et leur sens de l'honneur pour redouter des problèmes.

Il jeta un coup d'œil dans le rétroviseur, puis déboîta et doubla la voiture qui les précédait.

— L'avocat de Tommy m'a prévenu que la *signora* Massini allait peut-être essayer de nous mettre des bâtons dans les roues.

— Comment ? s'exclama Briana, visiblement atterrée. Tu crois qu'elle pourrait refuser de nous confier le bébé ? Pourquoi ne m'en as-tu pas parlé plus tôt ?

— Inutile de s'affoler pour l'instant. Cependant, il ne faut pas exclure cette éventualité.

Il se rabattit dans la file de droite.

— J'ai étudié les différents aspects de la situation d'un point de vue juridique, cet après-midi.

Il jeta un coup d'œil à l'horloge du tableau de bord.

— Ou plutôt, hier après-midi, rectifia-t-il avec un petit rire. Je ne sais plus quand j'ai dormi pour la dernière fois.

Elle non plus ne s'en souvenait pas, songea Bree. Mais quelle importance ?

— Et alors, à quoi tes recherches ont-elles abouti ! lança-t-elle avec impatience. Ne me dis pas que cette vieille femme que Tommy haïssait va exiger d'élever sa fille !

Gianni lui jeta un regard furtif. Ses cheveux volaient au vent et elle était obligée de les écarter régulièrement de son visage. A en juger par ses yeux étincelants, elle était au comble de l'indignation.

Quel tempérament passionné ! Quelle nature généreuse ! Cette femme avait une sensibilité à fleur de peau et un cœur immense. La façon dont elle empoignait la vie à bras-le-corps était fascinante. Il n'y avait pas de demi-mesure avec elle.

Ce matin, c'était sans aucune retenue qu'elle l'avait supplié de la prendre. Qu'elle avait ouvert la bouche à ses baisers, ouvert les cuisses à ses caresses, noué ses longues jambes autour de sa taille…

Il crispa les doigts sur le volant.

Elle avait raison. Ils devaient oublier cet épisode et se concentrer sur leur mission. Dire qu'ils étaient liés pour dix-huit ans… Dix-huit ans ! Beaucoup de mariages ne résistaient pas aussi longtemps. La seule façon de faire durer leur relation était de ne jamais déborder du cadre de la tutelle conjointe.

Briana avait sa vie. Il avait la sienne.

Mais comment pourrait-il ramener des femmes chez lui, sachant Briana de l'autre côté de la cloison ? Il était vrai qu'il préférait en général passer la nuit chez ses maîtresses, de façon à pouvoir s'éclipser quand il le souhaitait...

Briana ramenait-elle ses amants chez elle ? La mâchoire de Gianni se crispa. Tant qu'elle habiterait sur le même palier que lui, il n'en serait pas question. Aucun homme. Pas chez elle. Ni ailleurs. Point final. Aucune liaison. Pas de…

— Firelli ?

Il tressaillit.

— Désolé. Je… j'étais en train de penser à la grand-mère de Tommy.

— Moi aussi. Et j'aimerais bien que tu répondes à ma question. Est-elle en mesure de contester le testament ?

— Elle n'a aucune chance d'obtenir la garde de Lucia.

— Alors où est le problème ?

— Elle peut essayer de faire traîner les choses et de nous empêcher d'emmener Lucia tout de suite.

— Que ferons-nous dans ce cas ?

— Nous essaierons de l'en dissuader.

— Comment ?

— Je ne le saurai pas avant de l'avoir rencontrée.

Bree se renfonça dans son siège en soupirant.

— Dire que j'imaginais une petite vieille ratatinée, vêtue de noir de la tête aux pieds, assise sur le pas de sa porte dans un petit village, guettant notre arrivée avec impatience !

Gianni ne put s'empêcher de sourire.

— Tu vas trop souvent au cinéma, *cara*. Même si je dois reconnaître que *Le Parrain* rend assez bien compte de l'état d'esprit d'une bonne moitié de la population de la Sicile.

— Pour ma part, je ne connais que le château de Stefano et ses alentours. Tu y es déjà allé ?

— J'ai vu des photos. Je ne pense pas que la *signora* Massini demeure dans un château, mais elle n'habite pas non plus une modeste maison dans un petit village.

— Ça n'existe que dans *Le Parrain* ?

— Non. Dans la réalité également. Mon arrière-grand-père était originaire d'un village situé tout près d'ici. C'est pour ça que je connais cette route.

— Tu as encore de la famille ici ?

— Non, mais je suis venu plusieurs fois. Je voulais connaître le pays de mes ancêtres.

— Et ?

Il sourit.

— Le village de mon arrière-grand-père aurait pu servir de décor au *Parrain*.

— Dois-je t'appeler don Firelli ? plaisanta Briana.

— Si mon arrière-grand-père était parvenu à ses fins, tu serais en effet obligée, répliqua Gianni le plus sérieusement du monde. Nous approchons d'un nouveau panneau. Je vais ralentir. Essaie de le lire.

Bree écrasa son nez sur la vitre et parvint tout juste à déchiffrer l'inscription. Elle leva les yeux au ciel. Après avoir ralenti, Gianni devait encore rouler au moins à cent quarante kilomètres/heure !

— Nous sommes à vingt kilomètres de Cefalù.

— Parfait. Il doit y avoir encore un panneau juste avant la bifurcation où nous devons tourner. Tâche de faire bien attention.

— Tu étais sérieux à propos de ton grand-père ?

— Mon arrière-grand-père, rectifia-t-il. Très sérieux.

— Il faisait partie de la Mafia ?

Il eut un large sourire.

— C'est ce que raconte la légende familiale.

Pas étonnant que Gianni soit aussi arrogant et autoritaire ! songea Briana, impressionnée malgré elle.

— Nous venons de passer devant un panneau. Qu'indiquait-il ?

Briana arqua les sourcils. Un panneau ? Elle n'avait rien vu. A vrai dire, elle était trop occupée à imaginer Gianni en *mafioso*. Superbe. Un peu effrayant. Très sexy…

Stop !

Elle se redressa.

— Tu roules de nouveau trop vite. Comment veux-tu que j'arrive à lire quelque chose, surtout dans une langue que je ne comprends pas ?

— Tu n'as pas besoin de parler italien pour lire un panneau de signalisation.

Gianni jeta un coup d'œil à l'indicateur de vitesse.

— Et je ne roule pas trop vite.

— Lucia sera bien avancée si nous nous tuons en voiture à notre tour.

Gianni lui jeta un coup d'œil en biais. Quel fichu caractère ! Néanmoins, elle avait raison. Il ralentit.

— Je m'incline. Pour le bien de Lucia.

— Ne crois-tu pas que nous devrions réfléchir à l'attitude à adopter avec la grand-mère de Tomasso ?

— Tu as une idée ?

En soupirant, Briana se massa les tempes. Elle avait une migraine épouvantable !

— A vrai dire, non. Que peux-tu me dire de plus au sujet de la *signora* Massini.

— Pas grand-chose. Le mieux est de faire preuve de circonspection et de diplomatie jusqu'à ce que nous soyons fixés sur ses intentions. Nous pouvons par exemple la rassurer en lui promettant de lui amener Lucia chaque été.

— Ça me paraît raisonnable, approuva Bree. Et même souhaitable. Nous ne pouvons pas couper la petite de ses racines.

— Par ailleurs, nous nous engagerons à lui faire apprendre l'italien.

— D'accord.

— Tu t'y engageras également.

— Merci de me demander mon avis !

Gianni poussa un soupir.

— Bree, par pitié ! En fait, mon souci majeur est d'éviter qu'elle comprenne que nous ne sommes pas mariés.

— Mariés ?

Elle le fusilla du regard.

— Nous ne sommes même pas amis !

— Ce matin, nous avons été plus proches que des amis.

A peine eut-il terminé sa phrase que Gianni se maudit intérieurement. Que lui prenait-il ? Ce n'était pas du tout ce qu'il avait l'intention de dire !

Mais aussi, avait-elle vraiment besoin de se passer sans arrêt une main dans les cheveux ? Chaque fois qu'elle levait les bras il devinait le mouvement de ses seins et il devait lutter contre une envie folle d'arrêter la voiture pour se jeter sur la jeune femme…

— C'était un accident, fit-elle valoir d'une voix crispée. D'ailleurs, j'avais déjà oublié.

— Bien sûr ! commenta-t-il avec une ironie non dissimulée.

— Mon Dieu, quel ego !

Dans un grincement de freins, Gianni se rangea sur le bas-côté et se tourna vers elle.

— Tu n'as pas plus oublié que moi ce qui s'est passé ce matin, dit-il en détachant sa ceinture de sécurité.

Elle le fixa avec inquiétude.

— Qu'est-ce que… ? Gianni !

En un éclair, il la libéra de sa ceinture et la prit dans ses bras.

— Es-tu devenu fou ? Nous n'avons pas le temps…

— Si, coupa-t-il avec un sourire gourmand. Pour ça, nous avons tout le temps.

Puis il l'embrassa.

D'un baiser si doux qu'elle ne tenta même pas de se dérober. Avec lenteur, il effleura ses lèvres du bout de la langue, déclenchant une foule de sensations exquises. C'était un baiser très différent de tous ceux qu'il lui avait donnés jusqu'à présent. Et encore plus dévastateur…

Lui prenant le visage à deux mains, elle taquina doucement sa langue, tandis qu'il posait une main sur son sein. Au moment où ses doigts virils se refermèrent sur le mamelon hérissé, elle fut submergée par une vague de désir d'une telle violence qu'elle crut défaillir.

Mais soudain, ils furent éblouis par les phares d'une voiture arrivant en sens inverse. Avec un cri, Bree s'arracha aux lèvres de Gianni et le repoussa de toutes ses forces.

— Briana, plaida-t-il d'une voix rauque. S'il te plaît…

Elle secoua la tête avec énergie, les yeux fixés sur le plancher de la Ferrari.

— Non !

— Non ?

La prenant par les épaules, il l'obligea à relever la tête et plongea son regard dans le sien.

— Pourquoi te mentir à toi-même, *cara* ? Nous sommes irrésistiblement attirés l'un vers l'autre. Pourquoi lutter ?

— Oh, Seigneur ! Je ne comprends pas ce qui m'arrive, murmura-t-elle d'une voix étranglée.

— Si ça peut te réconforter, moi non plus.

Il déposa un baiser sur sa tempe.

— Mais n'essaie pas de me dire que tu regrettes que je vienne de t'embrasser, parce que je ne te croirai pas.

Bree leva la main comme pour lui caresser la joue, puis elle se ravisa.

— Il ne faut pas rendre la situation plus compliquée qu'elle ne l'est déjà, murmura-t-elle.

— Penses-tu vraiment qu'en feignant de ne pas nous désirer nous allons la simplifier ?

— Nous devons penser à Lucia, Gianni. Que ferons-nous le jour où nous serons lassés l'un de l'autre ? N'oublie pas que nous sommes condamnés à nous entendre pendant dix-huit ans.

Une fois de plus, elle avait raison, reconnut-il intérieurement. Quoi qu'on puisse penser au début d'une relation, il était très rare qu'après avoir été amants un homme et une femme parviennent à garder des relations sereines.

En général, il fallait laisser passer un certain temps avant de pouvoir devenir amis. Or pour eux, il ne serait pas question de prendre de la distance. Qu'ils en aient envie ou non, ils seraient obligés de continuer à se fréquenter.

Certes. Cependant comment lutter contre un désir si intense qu'il en devenait douloureux ? Un désir qu'il savait mutuel ? Cela relevait de l'héroïsme. Or il ne se sentait pas l'âme d'un héros…

— Personne ne peut prévoir l'avenir, Bree.

— C'est vrai. Mais ce n'est pas une raison pour ne pas anticiper les problèmes.

Gianni prit une profonde inspiration.

Bon sang, il n'avait qu'une envie : la prendre de nouveau dans ses bras et l'embrasser jusqu'à lui faire perdre ses facultés de raisonnement ! Découvrir ses seins et sucer leurs pointes hérissées jusqu'à la faire crier de plaisir…

Glisser une main entre ses cuisses. Franchir du bout des doigts la fine dentelle protégeant sa fleur humide. Caresser le cœur brûlant de sa féminité jusqu'à ce qu'elle le supplie de le rejoindre. S'enfoncer alors lentement au plus profond d'elle…

Gianni réprima un grognement. Il était urgent de se reprendre ! Il remit le moteur en marche, constata qu'il avait oublié de rattacher sa ceinture, répara cet oubli d'un geste vif.

Tandis que Briana bouclait la sienne, il vérifia si la voie était libre. Puis il s'engagea sur la chaussée en rêvant d'agripper Tomasso par le revers de sa veste.

« Hé, *paisano*, regarde dans quel pétrin tu m'as mis ! »

7.

Ils ratèrent la bifurcation deux fois et durent faire marche arrière à deux reprises avant de s'engager sur un étroit chemin de terre qui montait en lacets à flanc de colline. Au bout de quelques kilomètres, celui-ci s'enfonça dans une épaisse forêt. Des branches d'arbres cinglaient la carrosserie.

Gianni releva la capote.

— Charmant décor ! commenta Bree d'un ton qui se voulait léger.

Une ornière particulièrement profonde arracha un juron à Gianni. Il ralentit jusqu'à rouler au pas.

— Nous nous sommes peut-être trompés d'embranchement, suggéra Bree en se cramponnant au tableau de bord.

— Le seul autre chemin que nous ayons trouvé se terminait en impasse. De toute façon, nous sommes obligés de continuer. Il n'y a pas assez de place pour faire demi-tour.

Bree agrippa la poignée de la portière, tandis que la voiture était secouée par une nouvelle série de cahots.

— Je crois que nous arrivons, déclara soudain Gianni.

Ils avaient presque atteint le sommet de la colline. Sur le ciel où pointaient les premières lueurs de l'aube, se découpait la silhouette sinistre d'un imposant bâtiment.

— Tu disais que la *signora* Massini ne devait pas habiter dans un château ? lança Briana.

— J'avais tort. On dirait que chaque pierre de celui-ci a été importée de Transylvanie.

— Apparemment, tu es toujours aussi optimiste au sujet de l'accueil qui nous attend.

Le ton de Bree était désinvolte, mais de toute évidence, il masquait une vive inquiétude, songea Gianni. Il arrêta la voiture et prit la main de la jeune femme.

— Tu as peur ? demanda-t-il d'une voix douce.

— Non.

Après un court silence, elle avoua :

— Je suis terrorisée.

— Il ne faut pas.

Il porta sa main à ses lèvres.

— N'oublie pas que nous avons la loi de notre côté.

— Penses-tu vraiment que quelqu'un qui vit dans un endroit comme celui-ci se préoccupe de la loi ?

Gianni pouffa.

— La *signora* Massini n'est tout de même pas fiancée à Dracula !

— Peut-être pas, mais si je vois des chauves-souris voler autour de la porte d'entrée, je n'en mènerai pas large.

— *Cara*. La *signora* n'est qu'une femme.

— Je suis sûre qu'elle est redoutable. Mais en fait, ce qui m'angoisse le plus, c'est la perspective de rencontrer Lucia.

— Pour être honnête, je ne suis pas plus rassuré que toi.

Elle arqua les sourcils.

— Je n'arrive pas à imaginer que tu puisses avoir peur de quelque chose.

— Ce n'est pas la *signora* qui m'inquiète. Même si elle essaie de nous poser des problèmes, nous finirons par les résoudre. Mais le bébé… C'est une autre histoire. Je te rappelle que je n'ai aucune expérience des enfants.

— Tout se passera bien tant que nous parviendrons à lui donner le change.

— A la grand-mère de Tomasso ?

— Au bébé.

Bree eut un sourire attendri.

— Cassie — la femme de mon frère Keir — m'a dit que c'est en rusant qu'elle a réussi à donner son premier bain à leur bébé. Elle était terrifiée, mais tout s'est bien passé parce qu'elle a réussi à le lui cacher.

— Ce conseil judicieux me paraît valable également pour la *signora*.

— Tu es presque intelligent, quand tu fais un effort, Firelli.

— Ce jour est à marquer d'une pierre blanche, déclara Gianni d'un ton solennel. Briana O'Connell a fait un compliment à Gianni Firelli.

— Ce n'est pas une raison pour avoir la grosse tête.

— Je m'efforcerai de rester modeste.

Il lui lâcha la main et redémarra.

— Après tout, la *signora* va peut-être nous recevoir à bras ouverts. Si par hasard nous avons cette chance, nous resterons quelques heures, afin de dormir un peu et de lui laisser le temps de faire ses adieux au bébé, puis nous repartirons pour l'aéroport.

— Et si elle nous reçoit comme des chiens dans un jeu de quilles ? Nous prenons Lucia et nous repartons immédiatement ?

— A condition que nous y parvenions.

— Pourquoi pas ? Le testament…

— Nous sommes en Sicile, *cara*.

— Et alors ? Si la loi est de notre côté…

Une vive lumière les aveugla soudain. Bree cria. Gianni jura en italien. Il ouvrit sa portière et descendit de voiture. Il y eut des bruits étranges.

La lumière s'éteignit.

Lorsque ses yeux se furent accoutumés à la semi-pénombre, Bree vit Gianni se battre avec un monstre qui mesurait au moins trois mètres. Aussitôt, elle ouvrit sa portière, bondit dehors, ramassa une pierre qu'elle trouva par terre et la leva en l'air aussi haut qu'elle le put.

De toutes ses forces, elle frappa le monstre.

Celui-ci tituba et tomba à ses pieds.

Lui jetant à peine un coup d'œil, elle se précipita sur Gianni.

— Ça va ?

— Très bien.

— Laisse-moi voir.

Elle promena les doigts sur son visage, cherchant des blessures.

— J'ai eu si peur. J'ai cru que...

Gianni lui prit les mains et y déposa un rapide baiser.

— Je vais bien, *cara*.

Il s'agenouilla près de la forme allongée sur le sol, ramassa la lampe torche tombée à proximité et l'alluma.

— Voyons si on peut dire autant de notre ami.

— Il voulait t'assommer.

— Non, objecta Gianni d'une voix douce. Il me parlait.

— Mais... je l'ai vu agiter les bras et...

— Dans ma famille, on dit « Attache-toi les mains et tu deviendras muet », coupa Gianni d'un ton pince-sans-rire.

Il se tourna vers la forme blottie sur le sol.

— *Siete tutto il di destra ?*

Bree regarda le monstre. Il semblait beaucoup plus petit, à présent... En tout cas, il ne mesurait sûrement pas trois mètres. Tout à coup, elle prit conscience de ce qu'elle venait de faire.

— Oh, Seigneur ! Est-ce que… ?

L'homme porta la main à sa tête en grognant.

— *Signore ?*

— *Si*, répliqua Gianni en hochant la tête. *Chi sono voi ?*

— *Sono il maggiordomo della signora Massini. Che cosa è caduto ? Che cosa lo ha colpito ?*

— Que dit-il ? Qui est-ce ? demanda Briana.

L'ignorant, Gianni échangea encore quelques mots avec l'homme. Puis il se tourna vers elle.

— Prends-lui l'autre bras et aide-moi à le remettre sur ses pieds.

Bree s'accroupit à côté de l'homme et le saisit par le coude.

— *Grazie,* dit-il d'une voix faible.

Quand il fut debout, elle se mordit la lèvre. Non, il ne mesurait pas trois mètres. Ni même un mètre quatre-vingts. Un mètre soixante, tout au plus…

— Parlez-vous anglais ? demanda Gianni.

— *Si, signore. Uno piccolo.* Un peu.

— Je vais vous installer dans ma voiture et vous ramener à la maison. D'accord ?

— Oui. *Grazie*. Merci. Qu'est-ce que j'ai reçu sur la tête ?

Bree ouvrit la bouche. Gianni s'empressa de répondre avant elle, tout en aidant l'homme à s'installer sur le siège passager de la Ferrari :

— Je ne sais pas. Une branche, sans doute. Les arbres qui bordent le chemin auraient bien besoin d'être élagués.

— *Si*. Je vais le dire au jardinier.

— Il vaut mieux, approuva Gianni en fermant la portière.

— Que se passe-t-il ? demanda Bree.

Réprimant un soupir, Gianni contempla le ciel gris perle du petit matin. Dire que jusqu'à hier il menait une vie agitée, certes, mais sans complications…

— Ils ont vu la lumière des phares depuis la maison, répondit-il. Quand celle-ci s'est immobilisée, la *signora* nous a pris pour des journalistes essayant d'approcher sans se faire remarquer.

— Des journalistes ? Mais pourquoi est-ce que des journalistes…

— Je ne sais pas. Je suppose que l'accident n'est pas passé inaperçu. La *signora* est apparemment une personnalité dans la région.

— Et… qui est cet homme ?

Gianni réprima un sourire.

— Le majordome.

— Le… ?

— Eh oui.

Bree porta la main à son cœur.

— Oh, mon Dieu !

— Je ne te le fais pas dire.

— Mais j'ai cru… j'ai cru qu'il t'avait attaqué.

Les yeux écarquillés, les cheveux tout ébouriffés, Briana tremblait de la tête aux pieds. Gianni sentit sa gorge se serrer. Il aurait tellement aimé la réconforter… Mais que lui dire ? Il se contenta de la prendre dans ses bras.

— Merci, murmura-t-il d'une voix rauque.

— Il n'y a vraiment pas de quoi !

Elle eut un petit rire de dérision.

— Je croyais te défendre contre Dracula, et en réalité, j'ai assommé le majordome de la *signora*. On ne pouvait pas rêver mieux pour rentrer dans les bonnes grâces de celle-ci, tu ne trouves pas ?

— Je dois reconnaître que c'est assez réussi.

En souriant, il embrassa les boucles blondes.

— Ne t'inquiète pas. Elle n'en saura rien.

— Tu crois ?

— J'en suis sûr. C'est une branche d'arbre qui a assommé le majordome.

Bree laissa échapper un soupir de soulagement.

— Merci.

— On peut dire que tu n'y es pas allée de main morte, *cara*.

Elle eut un sourire malicieux.

— J'ai grandi avec trois frères. Nous jouions souvent au base-ball.

Il écarta une mèche de cheveux de son visage.

— Au base-ball, vraiment ?

— Bien sûr. Keir m'a appris.

— C'est aussi lui qui t'a appris à assommer les monstres ? Elle pouffa.

— Non, c'est Cameron.

— Est-ce qu'un de tes frères t'a appris à conduire les voitures de sport ?

— Bien sûr ! s'exclama-t-elle d'un air faussement vexé. Sean.

— Rappelle-moi de les remercier tous les trois quand je les rencontrerai.

— Tu penses en avoir un jour l'occasion ?

— Evidemment.

C'était plus que probable, en effet, se dit-elle. Leur relation allait durer de longues années et chacun occuperait une place importante dans la vie de l'autre. Cependant, elle ne pensait pas seulement à la tutelle de Lucia. Et lui non plus, à en juger par la façon dont il la regardait…

Pourquoi se voiler la face ? Un sentiment qui semblait animé d'une énergie propre, incontrôlable, était en train de naître entre eux.

— Non seulement je les remercierai mais j'ai bien l'intention de leur dire à quel point leur sœur est courageuse, reprit Gianni.

— Et stupide ! lança-t-elle d'un ton qu'elle espérait désinvolte. Quand je pense que j'ai attaqué le majordome !

Gianni lui prit le menton.

— A présent, il va falloir de nouveau faire preuve de courage.

Elle arqua les sourcils.

— Comment ?

— En rencontrant la grand-mère de Tomasso seule.

— Pardon ?

— Nous ne rentrons pas tous les trois dans la Ferrari et je n'ai pas l'intention de te laisser aller à pied jusqu'à la maison toute seule.

Elle pouffa.

— Que peut-il m'arriver ?

— Tu pourrais rencontrer des sangliers, répliqua-t-il le plus sérieusement du monde. Ou des chiens sauvages. Tu vas conduire et c'est moi qui irai à pied.

— Mais…

Il la prit par les épaules.

— Restes-en à l'échange de civilités. Présente-toi. Dis-lui que tu es enchantée de faire sa connaissance et préviens-la que j'arrive.

— Moi qui me faisais un plaisir de lui annoncer que j'avais assommé son majordome pour pouvoir lui enlever plus facilement son arrière-petite-fille ! plaisanta Bree.

— Rappelle-toi que c'est une branche d'arbre qui a assommé le majordome. Et il vaut mieux ne pas parler de Lucia. Limite-toi à des banalités.

Elle regarda par-dessus l'épaule de Gianni et soupira. L'imposante demeure de pierre grise qui se dressait sur la colline d'un air menaçant était parfaitement visible, à présent.

Gianni déposa un baiser sur ses lèvres.

— Vas-y, murmura-t-il. Si les choses se gâtent, il suffira d'exposer la *signora* à la lumière du jour pour lui enlever tous ses pouvoirs maléfiques.

— A tout de suite, Firelli, répliqua-t-elle avec un pâle sourire.

Elle monta dans la Ferrari, mit le contact, passa la première dans un grincement qui fit frémir Gianni et démarra.

Ce dernier se mit en marche.

Mieux valait ne pas imaginer la réaction de la *signora* Massini quand elle verrait que son majordome était blessé. Nul doute qu'elle ne croirait pas une minute qu'il avait reçu une branche d'arbre sur la tête. Mais devinerait-elle que Bree avait essayé de l'assommer ?

Un sourire étira les lèvres de Gianni.

Sa Briana était une sacrée femme. Vaillante. Energique. Et en même temps, douce, tendre, sensible. Oui, vraiment, sa Briana…

Il tressaillit.

« Sa » Briana ? Que lui prenait-il ? Il l'aimait bien, certes. Il l'aimait même beaucoup. Mais de là à penser à elle comme à « sa » Briana…

Ce qu'il ressentait pour elle était purement sexuel. D'accord. Elle lui inspirait également de la sympathie. Peut-être même un peu plus que de la sympathie...

— Bon sang ! marmonna-t-il en accélérant le pas.

Il ferait bien de se reprendre et de se concentrer sur l'objet de ce voyage. Avec un peu de chance, ils repartiraient le soir même pour New York avec le bébé et…

Il se figea.

— … comprends mieux son point de vue ! Vous êtes une horrible…

La brise emporta la fin de la phrase, mais il n'y avait pas d'erreur possible. C'était la voix de Bree.

— Non, murmura-t-il. Par pitié, non !

Quand il arriva en vue de la maison, il réprima un juron.

Garée en dépit du bon sens, la Ferrari penchait nettement d'un côté. Une des roues avant reposait sur la première marche d'un majestueux escalier de pierre.

Sur le perron, deux femmes se faisaient face. L'une d'elles, grande et maigre, s'appuyait sur une cane. L'autre, le visage auréolé d'une masse de boucles blondes ébouriffées, était penchée vers la première, les deux poings sur les hanches.

Heureusement qu'il avait recommandé à Briana de s'en tenir aux civilités…

8.

Prenant une profonde inspiration, Gianni accrocha un sourire à ses lèvres et monta l'escalier en courant.

— Briana, tu as bien roulé, apparemment ! lança-t-il d'un ton enjoué.

Pivotant sur elle-même, la jeune femme le fusilla du regard. Il tendit la main à la *signora,* qui ignora ostensiblement celle-ci.

— *Signora Massini. Buon Giorno. Com'è sta ? Mi dispiace sono in ritardo, mai...*

— Que lui dis-tu ? coupa Bree.

— Calme-toi, intima-t-il entre ses dents sans cesser de sourire à la *signora.*

— Je t'ai posé une question. Que viens-tu de lui dire ?

— *Signora. Un momento, per favore.*

Saisissant Briana par le bras, Gianni l'entraîna à l'écart. Son sourire s'évanouit.

— J'ai dit « Bonjour, comment allez-vous, excusez-moi pour mon retard. »

— Excusez-*nous* pour *notre* retard, rectifia-t-elle d'un ton sec. As-tu déjà oublié que nous sommes sur un pied d'égalité ?

— Bree, par pitié ! Je ne sais pas ce qui se passe ici, mais...

— Il se passe que votre compagne ne veut pas comprendre ce qu'on lui dit, coupa la *signora* d'une voix glaciale.

— Vous parlez anglais ? s'indigna Bree.

Elle se tourna vers Gianni.

— Elle prétendait ne connaître qu'une phrase, qu'elle m'a répétée vingt fois. « Vous n'êtes pas les bienvenus ici. »

— Je n'ai rien d'autre à dire, expliqua la *signora*. Malheureusement, votre compagne refuse de me croire.

Gianni réprima un juron. Certes, il ne s'attendait pas à un accueil chaleureux. Mais de là à être refoulé sur le seuil ! Et puis, il y avait ce ton méprisant sur lequel la grand-mère de Tomasso venait de prononcer deux fois le mot « compagne »...

— Nous avons fait un long voyage, *signora*. Votre accueil n'est pas un bon exemple d'hospitalité sicilienne.

— Je ne suis pas sicilienne, *Signore* Firelli. Je suppose que vous pouvez vous en rendre compte à mon accent. Je suis romaine. C'est mon défunt mari qui m'a amenée sur cette île perdue.

— Pas sicilienne ? persifla Bree. Alors qu'elle vit ici depuis au moins cent ans ?

— Bree, reste en dehors de la conversation, s'il te plaît.

— Je suis désolée que vous ayez entrepris un si long voyage pour rien, *signore*.

— Parce qu'elle s'imagine que nous allons repartir sans le bébé ?

— Bon sang, Bree ! Vas-tu te tenir tranquille ?

— Si vous ne parvenez pas à faire taire cette fille, c'est moi qui vais m'en charger.

A bout, Gianni renonça à faire preuve de diplomatie.

— Cette fille s'appelle Briana O'Connell et, comme vous le savez, c'est la tutrice de Lucia. Je suis moi-même, comme vous le savez également, le tuteur de Lucia. Alors à moins que vous ayez envie de vous retrouver devant le juge, je vous suggère de nous laisser entrer.

La *signora* eut un sourire froid.

— Vos menaces ne m'impressionnent pas, *signore*. Je vous rappelle que nous sommes en Sicile. Si vous m'attaquez en justice, il s'écoulera plusieurs années avant que nous nous revoyions au tribunal. A présent, excusez-moi, mais j'ai à faire.

— Le notaire de Tomasso a des amis haut placés, déclara Gianni.

Pure supposition, mais après tout n'était-ce pas le cas de tout homme de loi ? songea-t-il avant d'ajouter :

— Et j'ai bien sûr, moi aussi, des relations. Y compris dans la presse.

Du moins cette dernière affirmation était-elle exacte. En tant que procureur fédéral, il avait participé à des procès qui avaient eu un grand retentissement. Et s'il avait toujours gardé une certaine distance vis-à-vis des journalistes, il était prêt à changer d'attitude.

— A vous de choisir, *signora*. Ou bien nous réglons cette affaire en privé, ou bien nous le faisons sur la place publique.

Il y eut un silence. Puis la *signora* frappa le sol d'un coup sec avec sa canne. Aussitôt, le majordome apparut. Il semblait s'être remis du coup porté par Briana, songea Gianni avec soulagement.

— Bartolomeo, porte leurs bagages dans la chambre bleue.

— Merci, dit poliment Gianni.

La *signora* eut un sourire narquois.

— De quoi ? De vous offrir l'hospitalité ?

Elle fit une pause.

— Ou bien de vous installer dans la même chambre ? Votre manque de moralité n'augure rien de bon en ce qui concerne l'éducation de mon arrière-petite-fille, *signore* Firelli. Or c'est un point sur lequel je ne transigerai pas.

Eh bien, à présent, ils savaient exactement à quoi s'en tenir, songea Gianni en suivant le majordome dans la maison en compagnie de Bree.

La chambre bleue était une pièce immense, à l'ameublement et au décor surannés évoquant des siècles d'histoire. Le plafond, situé à une hauteur vertigineuse, était décoré de chérubins et de harpes aux couleurs passées, tandis que de lourdes draperies d'un bleu roi sans éclat garnissaient les fenêtres et l'imposant lit à baldaquin.

A peine eut-elle pénétré dans la pièce que Bree la détesta.

— Il règne ici l'atmosphère joyeuse d'un mausolée, dit-elle dès que Bartolomeo eut refermé la porte. Comme dans toute la maison, d'ailleurs.

— Je comparerais plutôt celle-ci à un musée, répliqua Gianni en enlevant sa veste et en la lançant sur un fauteuil.

— Et cette femme ! Pour qui se prend-elle ?

Gianni ne put s'empêcher de rire. Depuis sa plus tendre enfance, il avait été abreuvé d'anecdotes concernant le mépris souverain manifesté aux paysans par la haute société italienne.

— Pour ce qu'elle est, *cara*. La *signora* Emma Olivia Gracia Massini. Et malheureusement, c'est certainement un personnage influent.

— Es-tu en train de suggérer que si elle le souhaite, elle peut garder le bébé malgré le testament ?

— Elle peut faire traîner les choses pendant un certain temps, même si nous sommes assurés d'avoir gain de cause un jour ou l'autre.

— Pourtant, tu as réussi à lui clouer le bec et elle a daigné nous laisser entrer.

Gianni se laissa tomber sur le lit. Quelle fatigue ! Il était vidé par le manque de sommeil et le trop-plein d'émotion.

— La publicité est la seule menace efficace contre un membre de *La Famiglia*.

Bree écarquilla les yeux.

— La *signora* Massini est… ?

— Eh oui. Son mari était un authentique *mafioso*. Je savais que ce nom me disait quelque chose, mais quand j'ai vu cette maison et qu'elle a précisé que son mari l'avait amenée de Rome, la mémoire m'est revenue.

Il tapota les oreillers derrière lui, et s'y adossa en bâillant.

— Cette hantise de la publicité est un de nos atouts majeurs, *cara*.

— Et les relations du notaire de Tomasso ?

Gianni soupira.

— Pour l'instant, je n'ai que deux certitudes. Premièrement, la *signora* préférerait éviter la publicité. Deuxièmement, elle refuse que son arrière-petite-fille soit élevée par un couple d'Américains immoraux.

— Parle pour toi, Firelli !

— Comprends-moi bien. Ce qui chagrine la *signora*, c'est que nous ne soyons pas mariés.

Gianni plongea son regard dans celui de Bree et un sourire enjôleur étira ses lèvres.

Elle sentit ses joues s'enflammer, mais elle ne cilla pas.

— Je trouverai une solution, mais avant, j'ai besoin de dormir, déclara-t-il.

Briana prit soudain conscience qu'il n'y avait qu'un seul lit.

— Pourquoi nous a-t-elle installés ici ?

— C'est sa façon de nous informer qu'elle sait parfaitement que nous sommes amants.

— Mais nous ne le sommes pas !

— Comme tu as la mémoire courte, *cara*.

Bree mit les poings sur ses hanches.

— Nous ne sommes pas amants ! Je vais aller la voir et lui dire…

— Nous irons lui parler, mais pas avant d'avoir dormi, coupa Gianni en étouffant un bâillement. Il faut que nous reprenions des forces si nous voulons être en état de l'affronter.

Il avait raison, reconnut Bree intérieurement. Elle ne tenait plus debout.

— Très bien. Je vais dormir dans ce fauteuil.

— Ne sois pas ridicule !

Gianni tapota le lit.

— Viens te coucher ici.

— Avec toi ? Pas question.

— Allons, Briana ! Il y a de la place pour dix. Tu dors d'un côté. Moi de l'autre. Tu ne te rendras même pas compte que nous sommes sur le même lit.

— Pas question, répéta-t-elle d'un air buté.

— Oh, pour l'amour du ciel !

Avant qu'elle ait le temps de réagir, il bondit, la rejoignit, la souleva, la porta jusqu'au lit et la laissa tomber sur ce dernier.

— Ferme les yeux et dors, intima-t-il.

Elle tenta de se relever mais il l'en empêcha.

— Tu ne bouges pas, O'Connell.

— Je n'ai pas sommeil.

— Tu es épuisée.

Il s'étendit à côté d'elle.

— Dors, tu en as besoin. Et je ne veux pas que tu discutes de nouveau avec la *signora* en mon absence.

— Je n'ai pas d'ordres à recevoir de toi.

— Ne fais pas l'enfant. Si je tiens à me charger d'elle moi-même c'est parce que je suis sicilien. Je connais bien les coutumes de la région.

Bree soupira ostensiblement.

— Je veux voir le bébé.

— Moi aussi.

En fait, il n'en avait aucune envie, se dit Gianni. La simple idée de toucher un bébé le terrifiait. C'était si petit. Si fragile. Si dépendant…

— Mais il faut dormir d'abord, ajouta-t-il fermement.

— Je veux voir Lucia maintenant.

Bree se redressa. Gianni la rattrapa par la taille et l'attira contre lui.

— Reste ici.

— Lâche-moi !

— Arrête de gigoter.

— Tu as dit que nous dormirions chacun de notre côté et...

— Tais-toi, *cara*.

— Je n'ai pas sommeil !

— Eh bien, moi si.

Il y eut un bref silence.

— Mes vêtements vont se froisser.

Malgré son épuisement, Gianni ne put s'empêcher de rire.

— Bien essayé, mais ça ne marche pas. Pose la tête sur l'oreiller et dors.

— Tu peux m'obliger à rester allongée mais pas à dormir.

— C'est vrai. Cependant, sache que j'ai le sommeil très léger. Si tu essaies de te lever, je le sentirai aussitôt.

— Tyran, marmonna-t-elle.

Gianni, l'homme au sommeil léger, lui répondit par un ronflement.

Bree resta crispée sous le poids de son bras. Ils étaient lovés l'un contre l'autre comme deux cuillères...

Elle serra les dents.

Dire qu'il lui avait promis de la consulter avant de prendre des décisions ! Cependant, même si pour rien au monde elle ne le lui aurait avoué, Briana commençait à comprendre pourquoi les femmes appréciaient qu'il les prenne en charge. C'était un vrai délice de sentir son bras viril autour d'elle, son corps chaud et puissant contre le sien, son souffle tiède dans ses cheveux.

Mais de là à dormir ! Non. Pas question...

Les paupières de Bree se fermèrent. Une demi-seconde plus tard, elle sombrait dans un profond sommeil.

Des ombres obliques dessinaient des rayures sur le lit.

Gianni ouvrit les yeux. Fin d'après-midi ? Avait-il vraiment dormi aussi longtemps ? Il bâilla, s'étira... et sentit la chaleur d'un corps féminin contre le sien.

Bree.

Dans son sommeil, elle s'était tournée vers lui. Elle avait à présent la tête sur son épaule, une main sur son torse et une jambe en travers des siennes.

Sa peau était douce et elle sentait délicieusement bon. Jamais il n'avait trouvé une femme aussi émouvante.

Il sentit son cœur se gonfler de tendresse.

Avec précaution, il bougea de façon à ce qu'elle glisse tout contre lui. Elle poussa un petit soupir, qu'il reçut dans le cou comme une caresse.

Il la serra dans ses bras.

C'était une femme courageuse et pleine d'énergie. Du moins était-ce l'image qu'elle voulait donner d'elle. Cependant, sa grande sensibilité pouvait la rendre vulnérable. Elle avait besoin de quelqu'un pour la protéger. Pour la réconforter...

— Mmm.

Bree battit des paupières. Elle s'étira avec la grâce d'un chat et ses seins se pressèrent contre le torse de Gianni.

Nul doute qu'elle allait être furieuse quand elle allait se rendre compte qu'elle se trouvait dans ses bras et que sa bouche était si proche de la sienne qu'il pourrait l'embrasser sans bouger la tête, songea-t-il en retenant son souffle.

Elle ouvrit les yeux, arqua les sourcils.

— Gianni ?

Comment résister à la tentation ? Il l'embrassa.

Elle se raidit. Allait-elle le repousser ? Il ne pourrait pas l'en blâmer. Après tout, il avait promis de ne pas la toucher.

Mais à la grande joie de Gianni, elle noua les bras sur sa nuque. Sa bouche, douce et veloutée, s'ouvrit à la sienne.

Il approfondit son baiser.

Elle se plaqua contre lui.

— Briana, chuchota-t-il en l'embrassant dans le cou.

— Oui...

Il la fit rouler sur le dos et entreprit de déboutonner son corsage, mais ses doigts tremblaient. Avec un grognement de frustration, il saisit l'étoffe à pleines mains et la déchira, dévoilant un soutien-gorge de coton blanc.

Celui-ci était sans doute le moins sexy qu'il avait jamais eu l'occasion de contempler. Alors pourquoi sa vue décuplait-elle son désir ?

Se penchant sur les deux seins frémissants, il embrassa la peau délicate et laiteuse qui formait un léger renflement au-dessus de chaque coque de coton. En murmurant son nom, Bree enfonça les doigts dans ses cheveux et ramena son visage vers le sien pour s'emparer de sa bouche.

Quel baiser délicieux...

Ils étaient seuls au monde et ils avaient enfin tout le temps de s'aimer avec volupté...

Il avait tout le temps de savourer sa bouche sucrée.

De se délecter de sa peau satinée.

De déguster les pointes dressées de ses seins.

Quand elle murmurait son nom, il avait le temps de laisser résonner au plus profond de lui l'écho de sa voix mélodieuse.

Et quand elle le caressait... Mon Dieu, quand elle promenait ses doigts sur son visage, sur ses épaules... Quand elle glissait la main sous sa chemise...

Si seulement cet instant pouvait durer toujours !

— Doucement, murmura-t-il, tandis que la main de Briana poursuivait sa descente le long de son torse. Doucement, répéta-t-il quand elle la referma sur sa virilité dressée, menaçant de le faire sombrer dans le gouffre du plaisir.

Luttant contre la tentation de s'abandonner, il saisit cette main au pouvoir diabolique et la porta à sa bouche, suçant tour à tour chacun de ses doigts. Puis il embrassa longuement le creux de sa paume, retardant le moment d'arracher à Briana le reste de ses vêtements.

Pas question de se précipiter.

Tout s'était passé beaucoup trop vite, la première fois. Aujourd'hui, il voulait honorer Bree avec une lenteur infinie en se vouant tout entier à son plaisir.

Se penchant sur elle, il l'embrassa langoureusement, parsema son cou de baisers, descendit vers ses seins et mordilla les deux bourgeons qui pointaient sous le coton blanc. Elle poussa un long gémissement modulé.

L'aidant à se soulever légèrement, il dégrafa son soutien-gorge.

Ah, ses seins ! Ses merveilleux seins ! Petits, ronds, crémeux... Il les prit dans ses mains, les embrassa, en effleura les pointes du bout des doigts.

Ses prunelles s'assombrirent.

— Dis-moi ce que tu aimes, murmura-t-il d'une voix rauque.

— Continue...

Il cueillit tour à tour les deux mamelons entre ses lèvres et les agaça du bout de la langue, arrachant à Bree des petits cris extatiques. Puis il remonta vers sa bouche, dont il s'empara dans un baiser fervent tout en couvrant son corps de caresses.

Il l'adossa contre les oreillers, haletante et frémissante.

— Briana...

Il avait tellement de choses à lui dire ! Malheureusement, les mots lui manquaient.

— Caresse-moi, chuchota-t-elle.

Relevant sa jupe, il fit descendre sa culotte de coton blanc le long de ses cuisses et explora délicatement sa fleur humide gorgée de nectar en plongeant son regard dans le sien. Peu à peu, les yeux turquoise se voilèrent, mais ils restèrent fixés sur les siens.

— Gianni, implora-t-elle.

Glissant les doigts au plus profond du cœur brûlant de sa féminité, il acheva d'embraser ce dernier, la faisant basculer dans le plaisir suprême. Secouée de spasmes, Briana s'abandonna dans ses bras avec un cri rauque.

Bouleversé, il la serra étroitement contre lui, parsemant ses cheveux et son front de baisers, la berçant doucement jusqu'à ce que sa respiration s'apaise.

Puis il lui prit le visage à deux mains.

— Ça va, *cara* ? murmura-t-il, le cœur gonflé d'une émotion inconnue.

— Oh, Gianni…

Il l'embrassa.

— Je suis si heureux.

— Mais… et toi ? Tu…

Il la réduisit au silence d'un nouveau baiser.

— Te sentir fondre de plaisir suffit à mon bonheur, murmura-t-il contre ses lèvres. Je suis comblé.

Curieusement, c'était vrai, songea-t-il avec un certain trouble.

En souriant, elle se blottit contre lui.

Quelques secondes plus tard, il la sentit se relâcher entièrement. Elle s'endormait…

Un murmure s'échappa de ses lèvres. Avait-elle vraiment prononcé son nom ? Ou bien prenait-il ses rêves pour des réalités ?

Il resserra son étreinte.

Mieux vaudrait ne pas rester couché. Il était temps de se lever, de prendre une douche et de partir à la recherche de la cuisine pour y boire un café. Un *espresso*, le plus corsé possible.

Ensuite, il pourrait réfléchir à la stratégie à adopter pour enlever le bébé à la *signora* sans s'enliser dans les sables mouvants d'un procès.

Aux Etats-Unis, ce genre de procédure pouvait traîner en longueur. Mais d'après ce qu'il connaissait de la loi italienne, c'était encore pire de ce côté de l'Atlantique.

En menaçant la *signora* de publicité, il n'avait pas résolu le problème. Nul doute que la grand-mère de Tomasso trouverait un moyen de leur mettre des bâtons dans les roues.

N'avait-elle pas critiqué ouvertement leur « manque de moralité » ?

Or à moins que l'évolution des mœurs ait connu une accélération subite sur cette île — ce qui serait très surprenant — l'idée qu'un bébé d'origine sicilienne puisse être élevé par un homme et une femme qui n'étaient pas unis par les liens du mariage était proprement scandaleuse pour les gens de la région.

La *signora* pouvait très bien jouer là-dessus pour retarder le moment de confier Lucia à ses tuteurs légaux.

Gianni soupira.

Pour l'instant, il était encore trop fatigué pour avoir les idées claires.

Il déposa un baiser sur les lèvres de Bree, puis il sombra dans le sommeil.

Il fut réveillé par une lumière aveuglante.

Aussitôt après avoir ouvert les yeux, il les referma en jurant.

— Que se passe-t-il ?

— Debout, Firelli.

Avec précaution, il rouvrit les yeux et éteignit la lampe de chevet. Qui l'avait allumée ?

Briana, bien sûr.

Les cheveux mouillés, vêtue d'un pantalon et d'un T-shirt, elle était debout au pied du lit. De toute évidence, elle venait de prendre une douche.

Et à en juger sa mine sombre, elle était d'une humeur massacrante…

Il s'assit au bord du lit.

— Que se passe-t-il ?

— Oh, rien de très grave ! Nous avons juste perdu la journée, répliqua-t-elle d'un ton acerbe. Grâce à toi.

— Qu'est-ce que… ?

— Et nous sommes tombés dans le piège que nous a tendu cette vieille sorcière. Toujours grâce à toi.

— Pardon ?

— Elle nous a mis dans la même chambre pour nous signifier qu'elle n'était pas dupe. C'est toi-même qui l'as dit.

L'esprit confus, il se gratta le crâne. Depuis combien de temps n'avait-il pas mangé ? Pire encore, depuis combien de temps n'avait-il pas consommé la moindre goutte de caféine ? Il en avait besoin pour se remettre d'aplomb. Et c'était urgent.

— *Cara*, je ne te suis pas très bien.

— La *signora* a compris que nous étions… amants.

Les joues de Briana s'enflammèrent.

— Or ce n'est pas le cas, poursuivit-elle. Nous sommes… nous sommes juste deux personnes responsables du même bébé, qui se sont promis de ne pas…

— Briana.

Gianni se leva et la rejoignit.

— Regrettes-tu vraiment ce que… ?

— C'était une erreur et il n'est pas question que ça se renouvelle, coupa-t-elle vivement. Je suis ici pour Lucia et je veux la voir. Prépare-toi afin que nous puissions aller trouver la *signora*.

— Ecoute-moi…

— Si tu n'es pas prêt dans dix minutes, j'irai lui parler toute seule.

— Si tu fais ça, je te promets que tu le regretteras.

Briana releva le menton.

— Vas-y, joue les machos siciliens ! Il faut reconnaître que ça te va très bien.

— Attention à ce que tu dis !

— Que comptes-tu faire si je ne t'obéis pas ? Me frapper ?

Un sourire étira les lèvres de Gianni.

— Je connais un bien meilleur moyen de te calmer, dit-il en l'attirant contre lui et en capturant sa bouche.

Seigneur ! Comme il était tentant de s'abandonner à ce baiser ! songea Briana, le cœur battant à tout rompre. Elle avait tellement envie de nouer les bras sur la nuque de Gianni et de s'alanguir contre lui...

Mais il n'était pas question de lui donner cette satisfaction. S'imaginait-il vraiment qu'il lui suffisait de l'embrasser pour qu'elle lui obéisse docilement ? Pour qui la prenait-il ?

D'un mouvement rageur, elle s'arracha à sa bouche.

— Arrête ! Je t'ai dit que je n'avais pas l'intention de renouveler ce genre d'erreur.

Il crispa la mâchoire.

— Vraiment ?

Pivotant sur lui-même, il gagna la salle de bains et claqua la porte derrière lui. Quand elle entendit couler l'eau de la douche, Briana s'affaissa contre le mur.

En se réveillant pour la deuxième fois dans les bras de Gianni, avec le souvenir du plaisir qu'il lui avait offert et le sentiment d'avoir enfin trouvé son port d'attache, elle avait été envahie par une peur panique.

L'idée que cet homme était devenu indispensable à son bonheur l'avait terrifiée.

Elle ne voulait pas de ce genre de relation. Il fallait absolument que Gianni le comprenne. Ils n'étaient pas amants. Ils ne seraient jamais plus amants.

Elle ne pouvait pas se permettre de se laisser submerger par...

On frappa à la porte.

Elle s'écarta du mur et passa une main dans ses cheveux.

— Oui ?

Une voix de femme prononça quelques mots en sicilien. Bree n'en comprit qu'un seul. *Bambino.*

Elle se précipita pour ouvrir.

Une femme en blouse blanche lui tendit le petit paquet qui allait bouleverser sa vie à jamais.

9.

Lucia était adorable.

Belle comme un cœur et d'une intelligence hors du commun.

Submergée par un flot d'émotions toutes nouvelles, Briana sut tout cela dès qu'elle posa les yeux sur elle.

Le temps de suivre la nurse jusqu'au rez-de-chaussée dans un salon aussi imposant que le reste de la maison, et les craintes qu'elles avait nourries sur sa capacité à s'occuper d'un bébé s'évanouirent.

Lucia semblait destinée depuis toujours à trouver sa place dans ses bras, songea-t-elle, le cœur gonflé de tendresse.

La responsabilité restait très impressionnante, certes, mais son instinct lui disait qu'elle était parfaitement capable d'assumer son rôle de tutrice.

Quant aux changements que sa vie allait subir, ils paraissaient dérisoires, tout à coup. Quels que soient les sacrifices nécessaires, elle était prête à élever cet enfant. Cette perspective était même très exaltante !

— Tu vas voir, nous allons très bien nous entendre, murmurat-elle à Lucia.

Celle-ci gazouilla.

— Je n'ai pas l'habitude des bébés, mais après tout, les bébés n'ont pas non plus l'habitude des adultes. Nous apprendrons ensemble.

Lucia la regarda de ses grands yeux chocolat. Puis elle sourit et tenta de lui attraper le menton.

En pouffant, Bree saisit la petite main et y déposa un baiser sonore.

— Comme tu es mignonne !

Elle se tourna vers la nurse.

— Lucia est… *mucho bella*.

Etait-ce vraiment de l'italien ? se demanda-t-elle. Peu importait. La nurse, qui l'observait avec attention, se détendit visiblement.

— *Si, signorina. E un bambino meraviglioso.*

— Gemma a raison. Lucia est une enfant merveilleuse.

Bree pivota sur elle-même. La *signora* Massini se trouvait sur le seuil du salon, le visage indéchiffrable, impeccablement coiffée, aussi impressionnante que lors de leur arrivée. Elle avait troqué son tailleur gris contre une longue robe noire.

S'habillait-elle systématiquement pour le dîner, ou bien cherchait-elle à impressionner les tuteurs de son arrière-petite-fille ? se demanda Bree, tandis que la *signora* la toisait des pieds à la tête, promenant un regard dédaigneux sur ses boucles mouillées, son pantalon de lin, son T-shirt et ses sandales.

Une fois cet examen terminé, celle-ci déclara d'un air pincé :

— Dieu merci, Lucia ne semble tenir ni de son père ni de sa mère.

« Va au diable, vieille sorcière ! », songea Bree en la regardant droit dans les yeux.

— Sans doute ne les connaissiez-vous pas bien, déclara-t-elle d'une voix doucereuse. C'étaient des gens remarquables.

La *signora* eut un rictus méprisant.

— Mon petit-fils n'était remarquable que par son égoïsme et sa désinvolture. Quant à sa femme, c'était une moins que rien.

La *signora* avança vers Briana en frappant le sol de sa canne.

— Cette enfant ne leur ressemblera ni à l'un ni à l'autre.

— Cette enfant sera la femme qu'elle choisira d'être, rétorqua Bree avec le plus grand calme.

— Voilà bien un grand principe américain ! Quel laxisme déplorable !

— C'est un principe universel, respectueux des droits de chaque être humain. Et je vous suggère de garder pour vous vos commentaires sur Tommy et Karen, *signora* Massini. Ils ne m'intéressent pas.

— Vous venez de passer un moment avec Lucia et si vous le souhaitez, vous pourrez la revoir demain matin avant votre départ, annonça la grand-mère de Tomasso en ignorant superbement la remarque de Briana.

Le bébé émit un gazouillis joyeux. Heureusement pour elle, Lucia n'avait pas conscience que le cours de sa vie était en train de se jouer, songea Bree en lui souriant tendrement avant de reporter son attention sur l'aïeule de la fillette.

— Nous ne partirons pas sans Lucia.

— Je ne la laisserai pas sortir d'ici.

— Vous n'avez pas le choix. Le testament…

— Ce testament n'est qu'un bout de papier. Les avocats gagnent leur vie en contestant ce genre de documents.

— Excusez-moi de vous contredire, mais je suis bien placé pour vous affirmer que les avocats ont au contraire pour mission de faire respecter les volontés des testateurs.

Les deux femmes se tournèrent vers Gianni qui venait d'entrer dans la pièce, un sourire éclatant aux lèvres.

— *Cara*, où étais-tu passée ? En sortant de la salle de bains, j'ai été surpris de trouver notre chambre vide.

Bree devint écarlate. Avait-il perdu la tête ? Que lui prenait-il de suggérer de manière aussi limpide qu'ils formaient un couple ?

— J'avais envie de faire la connaissance de Lucia, répliqua-t-elle d'un ton crispé.

— Je vois, dit-il en regardant le bébé.

Yeux sombres, nez microscopique, bouche minuscule. Que pouvait-il se passer dans une tête aussi petite ? se demanda-t-il avec perplexité. Et pourquoi Bree semblait-elle dans l'expectative ? Etait-il censé dire quelque chose à ce paquet de la taille d'un ballon de football ?

— Elle est mignonne, déclara-t-il hardiment.

— C'est un petit trésor, dit Briana en souriant au paquet.

Jamais lui-même n'avait eu droit à un sourire aussi ébloui, songea aussitôt Gianni avec un petit pincement au cœur.

— Elle est éclatante de santé, intervint la *signorina*. Sa nurse s'occupe très bien d'elle.

Gianni tendit un doigt. Le bébé attrapa ce dernier et le porta à sa bouche.

— Elle n'a pas de dents ! s'exclama Gianni, stupéfait.

— Elle est encore trop petite. Tu vois ? Elle te sourit, dit Briana, visiblement ravie. Tu lui plais.

— A cet âge, un bébé n'éprouve ni sympathie ni antipathie, déclara la *signora* Massini d'un ton condescendant. Il réagit uniquement à certains stimuli. Chaleur, froid, faim, etc. Imaginer qu'un bébé ressent des émotions complexes est ridicule.

Bree darda sur elle un regard noir.

— Etes-vous sérieuse ?

— C'est scientifique.

— Pas étonnant que Tommy n'ait pas eu envie de vous confier sa fille !

— Briana, intervint précipitamment Gianni. Si tu me donnais Lucia un instant ?

L'ignorant, elle poursuivit à l'adresse de la *signora*.

— Si vous tenez ce genre de raisonnements, je ne sais même pas si nous la laisserons venir vous voir chaque été.

— Ça ne sera pas nécessaire, puisqu'elle ne partira pas d'ici.

Bree se tourna vers Gianni.

— Quand vas-tu te décider à lui dire que nous emmènerons Lucia, qu'elle le veuille ou non ?

Bon sang ! Il fallait absolument empêcher la jeune femme de laisser libre cours à son agressivité, se répéta Gianni.

— Briana, s'il te plaît, peux-tu me donner le bébé ? insista-t-il en tendant les bras.

Bree le regarda d'un air circonspect.

— Coucou, mon ange, dit-il à Lucia en souriant.

Aussitôt, elle la lui tendit.

Il la prit avec précaution, craignant à la fois de la serrer trop fort et de la laisser tomber. Elle était plus lourde qu'il ne l'aurait cru. Plus qu'un ballon de football, en tout cas...

— Soutiens sa tête, conseilla Bree.

Il hocha la tête d'un air entendu, comme s'il s'apprêtait à le faire de lui-même.

Comme il était petit... Non, elle. C'était une fille.

Une fille minuscule.

Elle était chaude et sentait bon. Quel était ce parfum ?

— C'est du talc, dit Bree.

Allons bon. Apparemment, il avait parlé à voix haute sans s'en apercevoir ! se dit-il avec effarement.

— Et tu n'es pas obligé de la tenir comme ça, ajouta-t-elle en pouffant.

— Que veux-tu dire ?

— Elle n'est pas de verre. Elle ne va pas se casser.

Non ? Pourtant elle semblait si fragile. Mais il était vrai que des tas de gens tenaient des bébés dans leurs bras depuis

120

des milliers d'années. Peut-être ces derniers n'étaient-ils pas aussi fragiles qu'ils le semblaient. Gianni se détendit un peu et serra Lucia contre lui.

Celle-ci se mit à gazouiller.

— Regarde, elle te sourit encore ! s'exclama Briana.

— Ce n'est pas un sourire, objecta la *signora*. C'est une grimace. Elle doit avoir de l'air dans l'estomac. Elle n'a jamais souri à personne.

Gianni regarda attentivement Lucia. Une grimace ? Sûrement pas ! Le bébé lui souriait. Il n'y avait aucun doute. Et si c'était vraiment son premier sourire, il suffisait de jeter un coup d'œil à cette maison et à cette vieille femme revêche pour comprendre pourquoi…

— De toute façon, il est l'heure de la coucher, reprit la *signora*. Redonnez-la à sa nurse, *signore* Firelli.

— Laisse-moi lui dire bonne nuit, demanda Briana en tendant les bras.

— Bien sûr.

Il lui rendit Lucia et la regarda se pencher sur elle en chantonnant à mi-voix. Le bébé lui tapota la joue en gazouillant.

Dire qu'ils avaient appréhendé le moment de cette rencontre ! songea Gianni avec attendrissement. Briana avait exprimé les même craintes que lui, mais il suffisait de la voir avec le bébé pour comprendre que tout se passerait à merveille.

Karen et Tomasso avaient bien choisi. Bree ferait une tutrice fantastique.

Et elle ferait une mère fantastique.

Il était facile de l'imaginer tenant dans ses bras un autre bébé, qui aurait des boucles blondes et des yeux turquoise. Ou bien verts, comme les siens…

Gianni tressaillit. Il délirait ! Que lui prenait-il ?

— Briana, rends le bébé à sa nurse, dit-il.

— Dans une minute.

— Maintenant.

Elle lui lança un regard noir. Aïe ! Terrain glissant, se dit-il.

— Excuse-moi, *cara*, mais j'avoue que je suis affamé. Je ne me souviens même plus de notre dernier repas

Il se tourna vers la *signora* avec un sourire affable.

— Vous nous invitez à dîner, je suppose ?

— Dîner, ce soir. Petit déjeuner, demain matin.

La grand-mère de Tomasso frappa le sol de sa canne.

— Ensuite, *signore*, nous nous dirons adieu.

La salle à manger était encore plus gigantesque que les autres pièces dans lesquelles ils avaient eu l'occasion de pénétrer.

Vingt-quatre fauteuils au dossier de bois richement travaillé entouraient l'immense table rectangulaire qui trônait au milieu de la pièce. Les murs étaient tendus de tapisseries aussi ternes que le plafond de la chambre bleue. D'énormes bûches brûlaient dans la cheminée.

Du feu à cette saison ! songea Briana en réprimant un soupir. La *signora* s'imaginait peut-être qu'ils seraient impressionnés par cette cheminée aussi vaste que son appartement…

Cependant, une fois qu'ils furent assis à table, elle révisa son jugement. Dehors c'était l'été. Dans cette pièce, c'était l'hiver… Elle réprima un frisson.

Ils étaient assis tous les trois à un bout de la table. La *signora* présidait. Gianni et elle étaient assis l'un en face de l'autre. Tout le repas se déroula dans le silence, depuis le consommé insipide jusqu'au dessert sans saveur.

Briana ne réussit pas à engager la conversation. Elle tenta de parler du bébé, mais Gianni lui donna un petit coup de pied sous la table. Au plat suivant, elle fit une nouvelle tentative, mais avant qu'elle ait pu aligner trois mots, il l'incita à se taire en employant la même méthode...

A présent qu'ils avaient terminé le repas, peut-être allait-il enfin estimer le moment venu d'aborder le sujet qui les préoccupait tous, se dit-elle alors qu'une servante débarrassait les assiettes à dessert.

Quelques minutes plus tard, la jeune fille revint avec un service à café. La *signora* servit l'*espresso* dans trois petites tasses décorées de minuscules écorces de citron.

— Merci, dit Bree d'une voix crispée quand la *signora* lui tendit la sienne.

Elle but une gorgée. Dieu merci, contrairement au reste du repas, le café avait du goût ! A présent, si Gianni ne se décidait pas dans les trois secondes...

— Cet *espresso* est excellent, déclara-t-il courtoisement.

La *signora* inclina la tête.

— Tout comme le repas, d'ailleurs, poursuivit-il. Mais le moment est venu de discuter de la situation.

La *signora* lui jeta un regard dédaigneux.

— Je croyais avoir exposé clairement mon point de vue. Il n'est pas question que je me conforme au testament de mon petit-fils.

— Quel motif avez-vous l'intention d'évoquer pour le contester ? demanda Gianni d'un ton très professionnel.

Elle haussa les épaules.

— La décision ne dépend pas de moi mais de mon notaire. Les motifs ne manquent pas. A commencer par l'influence pernicieuse que son épouse exerçait sur Tomasso.

— Comment osez-vous ? s'exclama Bree d'un ton vif. Karen ne... Aïe !

Le lâche ! songea-t-elle avec indignation. Cette fois il ne s'était pas contenté de lui donner un petit coup du bout du pied... Il avait dû lui briser la cheville !

— Si votre avocat est honnête, et je ne doute pas qu'il le soit, il a dû vous informer que tenter de prouver cette influence vous entraînera dans une bataille judiciaire longue et coûteuse.

— C'est plus que probable, en effet.

La *signora* but une gorgée de café.

— Mais ce n'est pas un problème, *signore*. J'ai les moyens financiers nécessaires, et le temps qui me reste me suffira amplement pour atteindre mes objectifs.

— Vous êtes donc parfaitement consciente que vous finirez par être déboutée. En clair, vous avez décidé de retarder le plus longtemps possible l'accomplissement des dernières volontés de votre petit-fils, c'est bien ça ?

La grand-mère de Tomasso resta silencieuse, mais elle eut un petit sourire satisfait.

Gianni posa sa tasse.

— *Signora*. Nous n'avons aucune intention de vous priver de tout contact avec Lucia. Nous serons heureux de vous l'amener très souvent.

— Ce n'est pas ça qui me fera changer d'avis. Mon seul souci est que mon arrière-petite-fille reçoive une éducation appropriée. Or des visites occasionnelles ne suffiraient pas à compenser la mauvaise influence subie tout au long de l'année.

— Quelle audace ! s'indigna Briana. Gianni ? Tu as entendu ?

Ignorant cette intervention, il demanda à la *signora* :

— Avez-vous bien réfléchi aux multiples conséquences d'un procès qui risque de durer plusieurs années ? Songez à la publicité. Pensez-vous ce sera bon pour le nom des Massini ?

La *signora* pinça les lèvres.

— Vous avez déjà employé cet argument, *signore* Firelli. Je reconnais que cette perspective ne me réjouit pas, mais mon petit-fils ne m'a pas laissé le choix.

Gianni se pencha en avant.

— Vous tenez vraiment à dépenser une fortune en frais de justice et à jeter votre nom en pâture à la presse à scandale, pour défendre une cause que vous savez perdue d'avance ?

» Car vous perdrez. Il n'y a absolument aucun doute là-dessus. Un testament est un acte qui a force exécutoire, or vous n'avez aucun motif valable de contester celui-ci. Par ailleurs, dans ce genre d'affaires, le jugement va systématiquement dans le sens des dernières volontés des parents. »

La tasse tremblait-elle réellement dans la main de la *signora*, ou bien était-ce un effet de son imagination ? se demanda Gianni avant de poursuivre.

— Avez-vous vraiment envie que votre arrière-petite-fille devienne une star de la presse à scandale ? Tomasso et Karen souhaitaient le bonheur de Lucia. N'estimez-vous pas vous aussi qu'elle y a droit ?

Oh oui, pas de doute, la tasse tremblait nettement, constata-t-il avec satisfaction. La *signora* se sentait en position de faiblesse.

— Félicitations. Vous venez de faire une brillante plaidoirie, *signore,* déclara-t-elle d'un air pincé. Malheureusement pour vous, vous avez oublié un détail.

— Lequel ?

Elle eut un rictus dédaigneux.

— La moralité.

Elle posa sa tasse sur sa soucoupe avec force.

— Je suis parfaitement consciente que ce mot n'a plus aucun sens dans votre monde. Mais dans le mien, il désigne une valeur fondamentale.

Bree haussa les sourcils.

— Charmant ! Elle est prête à bafouer les dernières volontés de son petit-fils, et elle a le toupet de parler de...

— Bree.

Gianni crispa la mâchoire. Ils étaient sur le point d'arriver à un accord. Son instinct, qui ne l'avait jamais trompé au cours d'une carrière déjà longue, le lui soufflait. Cependant, si Briana se laissait emporter par la colère, elle risquait de tout gâcher…

Il se leva et fit le tour de la table pour se placer derrière la jeune femme. Il posa les mains sur ses épaules et déclara d'une voix douce mais ferme :

— Bree, laisse parler la *signora* Massini.

— Vous avez parlé avec franchise, *signore* Firelli. Je ferai de même. Vous avez raison. Si je conteste le testament, je ne réussirai qu'à retarder l'échéance de son exécution.

— Dans ce cas, pourquoi… ? commença Bree.

Gianni exerça une brève pression sur ses épaules. De mauvaise grâce, elle se tut.

— Mon avocat est quelqu'un de très habile. Il fera en sorte que cette échéance soit repoussée de plusieurs années et obtiendra que dans l'intervalle Lucia reste avec moi.

La *signora* eut un petit sourire satisfait.

— Quand vous finirez par obtenir sa garde, tous les principes moraux respectés depuis des générations par les Massini lui auront été inculqués. Elle en sera suffisamment imprégnée pour pouvoir côtoyer sans risque un homme et une femme ayant choisi de vivre dans le péché.

La voix de la *signora* était devenue plus aiguë sur ces dernières paroles et celles-ci semblèrent résonner quelques instants dans le silence de l'immense pièce.

Puis Briana s'esclaffa.

— Etes-vous sérieuse ?

Elle leva la tête vers Gianni, impassible derrière elle.

— Elle veut garder Lucia ici parce qu'elle estime que nous vivons dans le pêché ? Dis-moi qu'elle plaisante !

— Elle est sérieuse.

La *signora* Massini prit sa canne, accrochée au bras de son fauteuil et donna un coup sec sur le sol. Comme par magie, le majordome fit son apparition.

— En effet, je suis très sérieuse. Et à présent, si vous voulez bien m'excuser, il se fait tard. Bartolomeo, aide-moi à…

— *Signora*.

La grand-mère de Tomasso poussa un profond soupir.

— Quoi encore ? Vous n'avez rien à me dire qui puisse m'intéresser.

— Détrompez-vous.

Gianni resserra les doigts sur les épaules de Briana. Elle leva la tête vers lui. Quelle était cette lueur étrange dans son regard ? se demanda-t-elle, perplexe.

— Nous aurions pu nous épargner toute cette discussion, *signora*.

Il prit une profonde inspiration avant de poursuivre.

— Cet après-midi, mademoiselle O'Connell m'a fait l'honneur d'accepter de devenir mon épouse.

10.

Suffoquée, Bree resta sans voix jusqu'à leur retour dans la chambre.

Mais à peine la porte refermée derrière eux, sa fureur explosa.

— Tu as perdu la raison ! Comment as-tu pu proférer une énormité pareille ? Bon sang, Firelli, qu'est-ce qui t'a pris ? Je n'arrive pas à le croire !

— Calme-toi.

— Me calmer ? hurla-t-elle en envoyant d'un coup de pied une chaussure contre le mur. Crois-tu vraiment que cette femme soit idiote au point d'avaler ça ?

— Bon sang, ne crie pas si fort ! Elle va t'entendre.

— Et alors ? Tu t'imagines qu'elle a cru une seule seconde à ce mensonge éhonté ?

— As-tu entendu ce qu'elle a dit ou bien étais-tu trop occupée à bouillir intérieurement ?

— J'ai parfaitement entendu. Elle a déclaré que cette nouvelle la surprenait parce que son avocat lui avait affirmé que nous nous connaissions à peine.

— Alors j'ai prétendu que son avocat se trompait. Que ton beau-frère, Tomasso et moi étions amis depuis l'enfance et que tous les deux nous nous fréquentions depuis des années.

— Et tu t'imagines qu'elle t'a cru ?

— Peu importe qu'elle m'ait cru ou non. Ce qui compte c'est ce qu'elle a dit. Tu as entendu, je suppose ? A présent, elle est d'accord pour nous confier Lucia.

Briana envoya sa seconde chaussure contre le mur.

— Il y a un petit problème, Firelli. Nous n'allons pas nous marier. Et peu importe qu'elle m'entende ou pas. Elle le sait déjà. Dire que j'ai toujours cru qu'il fallait avoir un cerveau en parfait état de fonctionnement pour être avocat !

Gianni la foudroya du regard. Quelle soirée ! La vieille sorcière et cette furie allaient le rendre fou. Il aurait bien besoin d'un verre…

Promenant son regard autour de lui, il vit sur un buffet deux carafes et des verres posés sur un plateau. Que contenaient les carafes ? Un liquide ambré, un autre plus pâle.

Peu importait. N'importe quel alcool ferait l'affaire. Il déboucha une des carafes, versa quelques gouttes de son contenu dans le fond d'un verre et l'avala d'un trait.

Du whisky. De l'excellent whisky qui glissait comme du velours… Il se resservit.

Bree tempêtait toujours en arpentant la pièce à grands pas.

— Bravo ! La situation était compliquée, à présent elle est inextricable. Félicitations !

Il vida son verre et le reposa d'un geste brusque.

— Ça suffit !

— Oh, non ! Ça ne fait que commencer ! Comment as-tu osé ? Qu'est-ce qui t'est passé par la tête ? Pourquoi as-tu eu l'idée…

— Ça suffit ! hurla-t-il en frappant du poing sur le buffet.

Les verres et les carafes tintèrent sur le plateau. Et à sa grande satisfaction, Bree tressaillit.

— Assieds-toi et écoute-moi, dit-il plus calmement.

— Tu veux que je t'écoute ? Tu trouves que tu n'as pas encore assez dit de...

— Laisse-moi parler.

— Plus jamais !

Bree souffla pour écarter une boucle de son front et croisa les bras.

— Je n'ose même pas imaginer ce que tu es encore capable d'inventer !

— Tu ne pourrais pas essayer d'adopter un point de vue positif de temps en temps ? Si j'ai annoncé notre mariage à la *signora*, c'était pour la fléchir. Il se trouve que j'ai atteint mon objectif. De quoi te plains-tu ?

Briana le regarda d'un air atterré.

— Parce que tu t'imagines vraiment qu'elle t'a cru et qu'elle a changé d'avis ? Tu rêves !

— Je reconnais qu'elle semblait sceptique.

— Sceptique ?

Bree s'esclaffa.

— C'est un euphémisme !

Gianni crispa la mâchoire. Inutile de continuer à se voiler la face. Briana avait raison. La *signora* Massini n'avait sûrement pas cru un mot de ce qu'il lui avait raconté.

— Il faut faire le nécessaire pour qu'elle prenne ce mariage au sérieux, déclara-t-il. A moins que tu préfères renoncer à emmener Lucia ?

— Mais puisque nous avons la loi pour nous !

Gianni réprima un soupir.

— Briana, combien de fois faudra-t-il t'expliquer qu'un procès risque de durer des années ? La *signora* nous a expliqué clairement sa stratégie, tu te souviens ? As-tu vraiment envie d'attendre Lucia pendant des années ?

Briana déglutit péniblement.

— Non. Que pouvons-nous faire ?

— Eh bien, nous avons plusieurs solutions. Premièrement, kidnapper Lucia.

Le visage de Briana s'éclaira.

— Mais bien sûr ! Comment n'y ai-je pas pensé ?

— Résultat de la manœuvre : nous nous faisons arrêter à Palerme — à supposer que nous arrivions jusque-là — et nous passons les cent prochaines années en prison.

— Mais puisque le testament…

— Quelles que soient les circonstances, le rapt d'enfant est sévèrement puni par la loi, Briana. Crois-moi.

En soupirant, elle se massa les tempes. Seigneur ! Sa migraine ne la quittait plus…

— Quelles sont les autres solutions ?

— La deuxième est d'attaquer la *signora* en justice sans attendre qu'elle conteste officiellement le testament. Mais que ce soit elle ou nous qui prenions l'initiative d'un procès, cela reviendra au même. Nous aurons beaucoup de chance si Lucia vient vivre avec nous avant sa première année de collège.

— Tu es sérieux ?

— Malheureusement, oui.

Elle le fixa d'un air effaré.

— Tu veux dire que la *signora* va gagner ?

Gianni s'accroupit devant elle.

— Elle ne peut gagner que si nous renonçons à Lucia. Or il n'en est pas question. Tomasso comptait sur moi. Je suis déterminé à respecter sa volonté.

Bree sentit tout à coup un grand calme l'envahir. Gianni était sincère. Elle le savait. C'était un homme de parole.

— Et moi, je suis déterminée à respecter celle de Karen.

— Puisque nous sommes d'accord, il faut agir en conséquence.

— Et tu penses vraiment qu'un procès peut durer des années ?

— Oui.

— Ce qui signifie que cet adorable bébé risque de passer des années dans cet endroit sinistre ?

Gianni prit les mains de Briana. Elles étaient glacées. Et dans son regard, la colère avait fait place à l'abattement. Si seulement il pouvait la serrer dans ses bras pour la réconforter… Mais étant donné les circonstances, mieux valait s'abstenir.

— Si nous choisissons la solution du procès, c'est un risque, en effet, confirma-t-il.

Elle déglutit péniblement.

— Tu penses en revanche que la *signora* Massini nous laissera Lucia si elle est persuadée que nous allons nous marier ?

— Oui.

— Mais comment faire pour la convaincre ? Tu as vu comme moi son air dubitatif. Je suis sûre qu'elle ne t'a pas cru.

C'était plus que probable, songea Gianni. Il voyait encore le regard incrédule que lui avait lancé la vieille femme. Il entendait encore la pointe d'ironie dans sa voix quand elle avait déclaré « Vraiment ? Félicitations. Vous devez être très heureux. »

— Tu as sans doute raison, admit-il. Cependant, il reste une ultime solution.

— Laquelle ?

— Elle ne va pas te plaire.

— Est-elle légale ?

— Oui. Par ailleurs, son efficacité est garantie.

— Si elle est légale et efficace à coup sûr, pour quelle raison ne me plairait-elle pas ? Explique-moi vite en quoi elle consiste.

Gianni plongea son regard dans celui de Briana.

— Elle consiste tout simplement à nous marier.

*
* *

Une heure plus tard, ils étaient assis l'un en face de l'autre à chaque extrémité du lit. Bree secouait inlassablement la tête en répétant que non, c'était impossible, ils ne pouvaient pas faire ça.

Mais si, ils pouvaient, insistait Gianni. Bien sûr qu'ils pouvaient. Ce n'était rien de plus qu'une feinte au cours d'une partie d'échecs dans laquelle la reine était une vieille femme intraitable.

— Elle comprendra que c'est un stratagème pour lui enlever Lucia, fit valoir Briana.

— Non. Je lui parlerai. Je lui expliquerai que nous nous sommes décidés pendant le voyage. Que nous avons eu envie d'officialiser notre relation…

— Nous n'avons pas de relation !

— … et que nous avions l'intention de garder cette décision secrète, poursuivit Gianni en ignorant cette interruption. Mais que nous avons changé d'avis quand nous avons compris ses inquiétudes au sujet de Lucia.

Bree secoua la tête.

— Elle ne te croira pas.

Gianni crispa la mâchoire.

— D'accord. Supposons qu'elle ne soit pas convaincue par cette explication. Quelle importance ?

— Eh bien, si elle se rend compte que nous ne nous marions que pour lui faire plaisir, elle va…

A court d'arguments, Briana s'interrompit.

— Que peut-elle faire ? demanda Gianni. Nous dire qu'elle n'approuve pas ce mariage ? Ce serait ridicule. Ecoute-moi, Bree. Partout dans le monde, des gens se marient pour des raisons qui n'ont rien à voir avec l'amour.

Il n'avait pas tort, reconnut Bree intérieurement. Quelle objection pourrait élever la *signora* ? S'ils voulaient repartir comme prévu avec Lucia, ce mariage était sans doute la meilleure solution. Alors pourquoi l'attitude pragmatique de Gianni lui donnait-elle envie de fondre en larmes ? Pourquoi la perspective de se marier avec lui pour des raisons qui n'avaient rien à voir avec l'amour lui déchirait-elle le cœur ?

— Nous n'avons pas le choix, Bree, insista-t-il d'une voix douce. Nous devons le faire pour Tomasso. Pour Karen. Pour Lucia.

— Si nous nous décidions, dans combien de temps pourrait avoir lieu le mariage ?

— Avec un peu de chance, tu pourrais être ma femme avant la fin de la semaine.

Sa femme. La femme de Gianni Firelli. Bree frissonna.

— Je ne... Je ne peux pas.

— Moi, si, murmura-t-il en se penchant vers elle.

Quand il captura sa bouche, elle fut emportée dans un tourbillon d'émotions dévastatrices. Gianni Firelli. L'homme de sa vie. Son port d'attache...

Avec un petit cri de frayeur, elle s'arracha à ses lèvres.

— Non, s'il te plaît, chuchota-t-elle. Je n'arrive pas à réfléchir...

— Ne réfléchis pas, implora-t-il. Dis simplement « oui ».

— Si j'accepte, ce sera à certaines conditions, déclara-t-elle après un long silence.

— Dis-moi lesquelles.

— Ça ne sera pas un vrai mariage.

Gianni poussa un soupir.

— Tu disais tout à l'heure que la *signora* n'était pas stupide. Aurais-tu brusquement changé d'avis ? Crois-tu qu'il suffira de disparaître pendant une journée, puis de revenir en prétendant être mariés pour qu'elle le croie ?

— Non. Bien sûr que non.

— Dans ce cas, que suggères-tu ?

Briana inspira profondément.

— Nous nous marions, mais une fois rentrés aux Etats-Unis avec Lucia, nous divorçons.

La mâchoire de Gianni se crispa.

— Je vois.

Pourquoi cette suggestion le contrariait-elle à ce point ? se demanda-t-il. C'était d'autant plus insensé qu'il avait lui-même prévu de procéder de cette manière. Ce mariage n'était qu'un moyen pour atteindre un objectif. Il devait les aider à respecter la volonté de leurs amis. Rien de plus…

— Et ma deuxième condition, c'est que ce mariage n'existe que sur le papier, ajouta Briana.

— Que veux-tu dire ?

Elle s'empourpra.

— Je t'en ai déjà parlé. Notre relation devra rester platonique.

Les prunelles de Gianni s'assombrirent.

— Pourquoi ?

— Je te l'ai déjà expliqué. Nous sommes les tuteurs de Lucia. C'est une sorte d'association à très long terme.

— Et alors ?

— Coucherais-tu avec un associé ?

Gianni eut une moue de dépit. Malheureusement, Briana avait raison. On ne couchait pas avec ses associés quand on envisageait une association durable. Car dans une relation amoureuse, la lassitude finissait toujours par s'installer. C'était inéluctable.

Cependant, Briana et lui avaient déjà dérogé à cette règle. Ils avaient fait l'amour, et depuis il rêvait de recommencer… Le temps de la lassitude n'était pas encore venu. Pas plus pour elle que pour lui. C'était manifeste.

— Si tu veux que j'accepte de me marier avec toi, il faut que tu acceptes mes conditions, insista Briana.

— Laisse-moi résumer la situation, répliqua-t-il avec humeur. Je te donne mon nom et en échange, j'ai droit à un lit vide et à un divorce express. C'est bien ça ?

— Oh, quel honneur ! Tu vas me donner ton nom ?

Bree rejeta la tête en arrière. Comment avait-elle pu oublier que cet homme avait un ego démesuré ?

— Mettons les choses au point, *signore*. La seule chose que tu vas me donner, c'est un mariage temporaire dont je n'ai aucune envie. Alors c'est à prendre ou à laisser. Ou bien tu acceptes mes conditions, ou bien… Que fais-tu ? Lâche-moi, bon sang ! Firelli ! Firelli…

Les bras de Gianni se refermèrent sur elle et sa bouche captura la sienne dans un baiser sauvage. Elle résista. Se débattit. Puis elle capitula et se laissa submerger par un flot de sensations merveilleuses. Elle noua les bras sur sa nuque et lui répondit avec fougue.

Il la repoussa brutalement.

— Première règle de toute négociation, ne jamais poser des conditions qu'on n'est pas prêt à respecter soi-même.

— Espèce de monstre ! Salaud !

Elle voulut le gifler, mais il arrêta sa main et l'obligea à mettre le bras derrière le dos.

— Fais attention à ce que tu dis, *cara*. Très attention. Au fond de moi, je suis toujours sicilien. Je ne prends pas les insultes à la légère.

Il la relâcha et elle s'affaissa contre le mur, tremblante de rage et de frustration mêlées.

— Le lit est à toi, lança-t-il d'un ton cassant en prenant une couverture et un oreiller pour les jeter sur un fauteuil. Et si tu me dis encore un seul mot ce soir, je te promets que tu vas le regretter.

— Ce que je regrette, c'est d'avoir eu le malheur de te rencontrer ! cria-t-elle.

Mais seulement une fois qu'il eut claqué derrière lui la porte de la salle de bains.

Gianni jeta un regard noir à son reflet dans le miroir.

Il avait la tête d'un homme prêt à rentrer dans un bar pour se bagarrer avec le client à la mine la plus sinistre, afin d'évacuer sa frustration à coups de poing. S'il n'avait pas été prisonnier au milieu de nulle part, il ne s'en serait d'ailleurs pas privé.

En maugréant, il ouvrit le robinet d'eau froide et s'aspergea le visage.

Elle ne voulait plus faire l'amour avec lui ? Et alors ? Où était le problème ? Ils allaient jouer la comédie du mariage pendant… combien de temps ? Disons une semaine. Ensuite, ils rentreraient à New York, ils divorceraient et tout rentrerait dans l'ordre.

Finalement, il n'y avait pas de quoi se mettre martel en tête, se dit-il, un peu rasséréné.

L'eau coulait toujours. Il mit la tête sous le jet, jusqu'à ce que le froid le fasse claquer des dents. Parfait. A présent, il pouvait regagner la chambre et se comporter en homme civilisé. Il allait même présenter ses excuses à Briana pour s'être emporté.

La trouvant endormie, il éteignit la lumière, s'installa tant bien que mal dans un fauteuil extrêmement inconfortable, et parvint à dormir pendant quelques heures.

Il se réveilla juste avant l'aube, tout courbaturé, mais avec le sentiment gratifiant d'avoir repris le contrôle de ses émotions. Il descendit au rez-de-chaussée, trouva la cuisine, se prépara du café, puis s'enferma dans le salon pour téléphoner pendant deux heures de son portable.

Il remonta à l'étage. Quand Bree se réveillerait, il s'excuserait d'avoir perdu son sang-froid, lui expliquerait ce qu'il venait d'organiser, et lui assurerait qu'aucune de ses deux conditions ne lui posait de problème.

Il ouvrit la porte et se glissa dans la chambre.

Elle dormait en chien de fusil, tout habillée, le visage auréolé des boucles blondes répandues sur l'oreiller, les lèvres entrouvertes, la jupe remontée sur les cuisses.

Ces jambes sublimes nouées sur ses reins, il en garderait toujours le souvenir...

Du calme.

Il était là pour lui présenter des excuses.

— Bree, murmura-t-il.

Quand elle ouvrit les yeux, il l'informa qu'ils seraient mariés avant la fin de la journée.

— Tu es sûr ? s'exclama-t-elle, visiblement effarée.

— Oui. Le plus tôt sera le mieux. J'ai été obligé de faire appel à quelques relations, mais tout est réglé.

Elle se redressa contre les oreillers en écartant les boucles qui lui tombaient devant les yeux. Le regard de Gianni fut irrésistiblement attiré par ses seins.

Il s'éclaircit la voix.

— J'ai autre chose à te dire.

— Oui ?

— J'accepte tes conditions. En ce qui concerne la seconde, je saurai être patient. J'attendrai que tu reprennes tes esprits et que tu retombes dans mes bras, *cara*.

11.

Briana ne prit même pas la peine de répondre.

Elle se leva, gagna la salle de bains et referma la porte derrière elle le plus calmement du monde. Le mépris était la meilleure réponse à une telle arrogance...

Lorsqu'elle revint dans la chambre une demi-heure plus tard, Gianni ne s'y trouvait plus et elle parvint à l'éviter toute la matinée. A midi elle pénétra dans le salon, où il s'était installé pour téléphoner de son portable. Dès qu'elle le vit, elle tourna les talons et quitta la pièce, non sans l'avoir entendu déclarer :

— Oui, le vol de 20 heures, ce soir.

De toute évidence, il était en train d'organiser leur voyage de retour. Alléluia. Plus vite ils seraient aux Etats-Unis, plus vite ils divorceraient !

Cette pensée lui permit de garder le sourire toute la journée. Elle passa un après-midi très agréable dans le jardin à câliner Lucia et à s'amuser avec elle.

Puis Gianni vint la trouver pour lui annoncer qu'il lui restait une heure.

Une heure avant de devenir sa femme, comprit-elle aussitôt. Elle sentit une vague de panique la submerger. Mais plutôt mourir que de le lui laisser deviner.

— Une heure avant quoi ? demanda-t-elle en arquant les sourcils. Oh, oui bien sûr ! Notre mariage. Excuse-moi, j'avais presque oublié.

Il avait une mine sinistre, mais il était plus séduisant que jamais dans son costume sombre et son T-shirt de soie blanche, qui contrastait avec ses cheveux d'ébène humides de la douche et bouclant sur la nuque.

— Je serai prête, ajouta-t-elle posément. Ne t'inquiète pas.

Le sourire qu'il lui adressa lui coupa le souffle.

— Je ne suis nullement inquiet, *cara*.

Tandis qu'il s'éloignait, elle tendit le bébé à la nurse. Pas de panique. Avant même que l'encre ait complètement séché sur leur acte de mariage, elle entamerait une procédure de divorce.

Ils se marièrent à la mairie de Trapani. Briana fut agréablement surprise par le décor pimpant de la salle des mariages et par l'amabilité du maire. Ce dernier lui baisa la main et s'adressa à elle en italien.

L'interprète, dont la présence était obligatoire pour tout mariage impliquant un étranger, l'informa que le maire la trouvait resplendissante et qu'il lui souhaitait beaucoup de bonheur.

A son grand dam, Bree sentit sa gorge se nouer. Nul doute que le maire disait à toutes les mariées qu'elles étaient belles. Ce n'était pas ce compliment qui lui serrait le cœur, mais ses vœux de bonheur. Le jour de son mariage, une femme était censée nager dans la félicité...

A son grand soulagement, la cérémonie ne dura que quelques instants. Lorsqu'elle fut terminée, la *signora* lui serra la main, ainsi qu'à Gianni. La nurse essuya quelques larmes et l'embrassa timidement sur la joue. Quant au bébé, qu'elle tenait dans ses bras, il gazouilla joyeusement en gigotant.

— Je suis très satisfaite, commenta la *signora*.

La reine mère avait donné sa bénédiction... Bree sentit sa tension se relâcher. Son soulagement s'accrut encore quand elle jeta un coup d'œil furtif à sa montre.

Dans un peu plus de deux heures, ils seraient dans l'avion. Pourquoi ne pas accélérer un peu le mouvement ?

— Gianni, ne penses-tu pas que nous devrions commencer à nous préparer ? demanda-t-elle d'une voix caressante.

Il lui jeta un regard ironique.

— Je comprends que tu aies hâte de te retrouver en tête à tête avec moi, *cara*, mais nous pouvons tout de même consacrer un peu de temps à nos invités.

Leurs invités ? Ceux-ci se limitaient aux deux témoins ! La *signora* et la nurse...

Briana prit le bras de Gianni.

— Je suis sûre que la *signora* Massini comprendra, mon chéri. Tu lui téléphoneras de l'avion.

Le petit sourire narquois de Gianni lui donna la chair de poule.

— Quel avion, ma chérie ?

— Eh bien... L'avion de New York qui quitte Palerme à 20 heures.

— Ah.

Gianni la prit par la taille et l'attira contre lui.

— Il décollera sans nous.

Briana le fixa avec effarement.

— Mais je t'ai entendu, tout à l'heure, dans le salon ! Tu faisais les réservations...

— Non, je les annulais. La *signora* a suggéré que nous restions encore un peu.

— Pardon ?

Briana tenta de se dégager de son étreinte, mais il la retint fermement.

— Et tu as accepté ? Sans me consulter ?

— Nous pouvons bien nous accorder une lune de miel, dit-il d'un ton désinvolte.

Briana fut submergée par une colère froide. Certes, Gianni jouait la comédie pour la *signora*, mais c'était encore plus exaspérant. Croyait-il vraiment que ce mariage de pacotille lui donnait le droit de prendre des décisions unilatérales ?

— Je veux rentrer chez moi, Firelli. Maintenant.

— Tu feras ce qu'on te dit, O'Connell, répliqua-t-il d'un ton froid.

Bree tressaillit. Le maire, l'interprète, la *signora*, et même la nurse observaient la scène avec intérêt, mais visiblement sans inquiétude.

Elle se trouvait dans un pays étranger, sans argent, sans amis. Elle ne parlait même pas la langue... Pour la première fois, elle prit pleinement conscience de son isolement.

Une heure plus tard, sur la terrasse de leur suite, dans un hôtel situé en bord de mer, elle donna libre cours à sa fureur.

— Tu as eu toute la journée pour me prévenir de ce changement !

Il soupira. Dire que d'autres couples, sur d'autres terrasses — dans cet hôtel dont on lui avait assuré qu'il était le plus romantique de Sicile — étaient en train d'admirer le coucher du soleil, étroitement enlacés...

Par quelle aberration avait-il choisi un hôtel romantique ? Ce mariage n'était rien d'autre qu'une comédie. Et à présent, pour couronner le tout, il devait subir la hargne de sa soi-disant épouse.

Bien sûr, Briana aurait préféré quitter immédiatement la Sicile. Il pouvait le comprendre. Mais bon sang, elle n'était pas obligée de réagir comme si elle venait d'être condamnée à rôtir en enfer en compagnie du plus horrible des monstres !

— La *signora* ne m'a fait part de son souhait qu'en fin d'après-midi, fit-il valoir.

— Je ne comprends pas. Elle vient d'assister au mariage, bon sang ! Que lui faut-il de plus pour être convaincue que nous sommes réellement mariés ?

— Elle a vu clair dans notre jeu. Elle se doute que ce mariage est une ruse. Mais de toute façon, elle a promis de nous laisser emmener le bébé à la fin du mois.

Briana ouvrit de grands yeux.

— Mais c'est dans trois semaines ! Qu'allons-nous faire pendant tout ce temps ?

— J'ai loué une maison.

— Une fois de plus, merci de m'avoir consultée !

— Je n'en ai pas eu le temps.

— C'est parce que tu en as trop perdu à essayer de me persuader de coucher avec toi !

Il lui saisit le poignet d'un geste vif. Elle trébucha et se cogna contre le mur.

— Voilà au moins un point sur lequel nous sommes d'accord, grogna-t-il en se penchant sur elle d'un air menaçant. C'était vraiment une perte de temps.

— Ravie que tu le reco…

— Je me demande comment j'ai pu avoir envie de coucher avec une mégère !

Il la lâcha et s'écarta d'elle.

— Inutile de m'attendre. Je rentrerai tard.

Elle darda sur lui un regard noir, tandis qu'il quittait la terrasse.

— Sache que ma porte sera verrouillée ! cria-t-elle.

Gianni prit sa veste et la balança sur son épaule.

— Heureusement, il y a un divan dans cette fichue suite ! Cette nuit je ne serai pas obligé de me plier en quatre dans un fauteuil pour nains.

La porte claqua derrière lui. Bree la fixa un instant, puis à son grand dam, elle fondit en larmes.

La nuit était noire.

Pas de lune. Aucune étoile. Pas même un réverbère pour éclairer le parking. En descendant de la Ferrari, Gianni eut l'impression de plonger dans une piscine remplie d'encre.

Il pénétra dans l'hôtel, traversa le hall et salua d'un signe de tête le veilleur de nuit, visiblement surpris. Bien sûr, ce n'était pas le genre d'établissement dans lequel les clients erraient seuls comme des âmes en peine au milieu de la nuit…

Il prit l'ascenseur jusqu'au dernier étage, sortit dans le couloir, introduisit sa clé dans la serrure et ouvrit la porte. Le salon était plongé dans le noir. Il referma derrière lui et s'immobilisa, le temps de s'habituer à l'obscurité.

Il constata que la porte de la chambre était restée ouverte. Son cœur se mit à battre à grands coups. Il n'y avait qu'une explication. Bree avait repris ses esprits. Elle l'attendait dans le lit. Leur lit.

Soudain, il sentit un grand froid l'envahir. Pas du tout ! En fait, si la porte était ouverte ça ne pouvait être que parce que Briana était partie, au contraire. Elle l'avait quitté. Elle avait appelé un taxi, ou loué une voiture… En tout cas, elle était partie.

Il jeta sa veste sur le canapé, se rendit dans la chambre et alluma la lumière.

Son cœur se serra douloureusement. C'était bien ça. Elle était partie. Le lit n'était même pas défait…

Mais non, pourtant. Sa valise était encore là, posée à côté de la sienne devant la penderie.

Il déglutit péniblement.

— Bree ?

Il ouvrit la porte de la salle de bains.

Vide.

— Bree ? Briana ?

La terrasse était vide également. Son regard fut attiré par la balustrade, qui dominait la mer.

Mon Dieu, non !

— Gianni ?

Il pivota sur lui-même. La lumière de la chambre éclairait faiblement le divan, sur lequel on pouvait distinguer une silhouette allongée.

— Bree !

Sa femme était recroquevillée sur le canapé, vêtue d'un peignoir de soie fourni par l'hôtel, les yeux rouges et gonflés.

Une fureur meurtrière le submergea. Que lui était-il arrivé ? Quelqu'un avait-il pénétré dans la suite ? L'avait-il agressée ? Blessée ?

Quelqu'un avait osé faire du mal à sa Briana ?

Il s'accroupit devant elle et lui prit les mains. Elles étaient glacées.

— Que s'est-il passé ?

Elle baissa les yeux et secoua la tête.

— Bon sang, dis-moi ce qui s'est passé ! Quelqu'un t'a agressée ?

Elle secoua de nouveau la tête. Il se sentit délivré d'un poids immense.

— *Cara*, parle-moi, dit-il d'une voix radoucie. Dis-moi pourquoi tu pleures.

— Je ne sais pas, murmura-t-elle.

Ça paraissait stupide, et pourtant c'était vrai. Gianni était parti depuis des heures, et depuis son départ elle pleurait sans savoir pourquoi.

Peut-être parce qu'elle l'avait imaginé conduisant la Ferrari comme un fou et se tuant dans un accident. Peut-être parce qu'elle l'avait imaginé dans un bar, en train de sourire à une femme, ravie de cette aubaine.

Ou peut-être parce que c'était sa nuit de noces, et qu'elle n'en pouvait plus de lui mentir et de se mentir à elle-même. Oui, elle avait envie qu'il la prenne dans ses bras, qu'il l'embrasse et qu'il lui fasse l'amour !

Il écarta de son visage quelques boucles folles.

— Briana, murmura-t-il. *Cara, mi dispiace.* Je suis désolé.

— Non. Tu avais raison. Il fallait nous marier. Et à présent, il faut rester suffisamment longtemps ici pour convaincre la *signora* que ce mariage est bien réel.

Il s'éclaircit la voix.

— Briana, je te présente mes excuses. J'ai été odieux avec toi. J'en suis désolé. Ma seule excuse, c'est le désir inouï que j'éprouve pour toi et qui me fait perdre la tête. Mais sache que je respecterai toujours ta volonté.

Les joues de Briana s'enflammèrent.

— Gianni, il faut que je te fasse un aveu. Moi aussi je te désire à en devenir folle. J'ai tenté de me mentir à moi-même, mais l'élan qui me pousse vers toi est irrésistible.

Le cœur de Gianni fit un bond dans sa poitrine.

— C'est vrai ?

— Oui.

Il s'empara de sa bouche dans un long baiser fervent, puis il la prit dans ses bras et la porta jusqu'à la chambre.

Pour leur nuit de noces, les deux époux embarquèrent à bord d'un vaisseau fantastique qui les emmena vers un continent encore inexploré, où ils abordèrent après une traversée ponctuée d'escales paradisiaques.

Ils s'endormirent dans les bras l'un de l'autre.

Puis ils se réveillèrent et refirent l'amour. Se rendormirent. Firent encore l'amour avant de sombrer dans un profond sommeil, toujours enlacés.

Ils furent réveillés par des coups frappés à la porte.

— Qui cela peut-il être ? chuchota Bree.

— Je vais voir.

Gianni l'embrassa tendrement.

— Mais d'abord, bonjour, *cara*.

Bree sourit contre ses lèvres.

— Ne réponds pas, chuchota-t-elle. Notre visiteur finira par se décourager et s'en aller.

— J'espère bien que non ! C'est sûrement notre petit déjeuner. Et je t'avoue, *signora*, que j'ai une faim de loup !

Elle pouffa.

— D'accord, *signore*. Va ouvrir.

— Seulement si tu me promets de ne pas bouger.

Elle eut un sourire mutin.

— Je te le promets.

Elle n'avait pas l'intention de tenir cette promesse, comprit-il. Avec un sourire attendri, il déposa un baiser sur le bout de son nez.

— Si tu bouges de ce lit, tu auras un gage.

— Mmm.

Etait-il vraiment important d'aller ouvrir la porte ? se demanda Gianni. Mais au même instant, l'estomac de Bree se mit à gargouiller. En riant, il enfila son pantalon et alla ouvrir au garçon d'étage.

Bree bondit du lit, enfila un peignoir et se précipita dans la salle de bains. Elle s'aspergea le visage d'eau fraîche et se brossa les dents. Puis elle passa les doigts dans ses cheveux emmêlés et se jeta un coup d'œil dans le miroir. Stupéfaite, elle se figea.

Cette femme qui lui souriait, elle la reconnaissait à peine. Ses yeux étaient étincelants. Sa peau semblait illuminée de l'intérieur. Ses lèvres gonflées au contact des baisers de Gianni avaient quelque chose d'insolent. Mais surtout, cette femme dans le miroir était heureuse. C'était une évidence.

Elle rayonnait de bonheur. En fait, comprit-elle tout à coup, cette femme était tout simplement…

Gianni fit irruption dans la salle de bains, interrompant le cours de ses pensées. Il la prit dans ses bras.

— Ah ah ! Tu croyais pouvoir m'échapper, n'est-ce pas ?

Elle se tourna vers lui. Même le son de sa voix l'emplissait de bonheur. Une émotion bien plus intense et dangereuse que le désir accéléra les battements de son cœur.

— Bree ? Que se passe-t-il ?

Elle secoua la tête. Seigneur ! Elle en avait perdu la voix…

Le sourire de Gianni s'estompa.

— Dis-moi ce qui ne va pas.

Il écarta une boucle de sa tempe.

— Regrettes-tu ce qui s'est passé cette nuit ?

— Non ! Bien sûr que non ! Comment peux-tu penser une chose pareille ? C'était… fabuleux.

— Oui, acquiesça-t-il d'une voix rauque en écartant les pans de son peignoir.

Il lui caressa les seins, frottant au creux de sa paume les bourgeons frémissants.

Bree laissa échapper un gémissement. La hissant sur le bord du lavabo, il se plaça entre ses cuisses.

— Tu étais fabuleuse, dit-il avant de l'embrasser.

— Gianni.

Elle prit une profonde inspiration.

— Je veux que tu saches que cette nuit a été pour moi exceptionnelle.

— Pour moi aussi.

— Je...

Elle s'interrompit. Seigneur ! Qu'avait-elle failli lui avouer ?

Il promena ses doigts sur son ventre.

— Oui, *cara,* que voulais-tu me dire ?

Elle plongea son regard dans le sien. Ses yeux étaient si verts. Si profonds. Si elle n'y prenait pas garde, elle risquait de s'y noyer.

— J'aime faire l'amour avec toi, murmura-t-elle.

Il hocha la tête. Elle aimait faire l'amour avec lui. Fantastique. C'était tout ce qu'il voulait entendre.

Non ?

Soudain pris de vertige, il s'empressa de vider son esprit de toute pensée en enlaçant sa femme pour se perdre au plus profond d'elle.

12.

La maison louée par Gianni était parfaite. Perchée sur une colline dominant la mer, elle était baignée de soleil et entourée d'un jardin à la végétation luxuriante.

Gianni observait attentivement Briana, tandis qu'ils traversaient les pièces claires et spacieuses. Il avait louée la maison sans la visiter, se fiant à la description de l'agent immobilier.

— Qu'en penses-tu ? demanda-t-il d'un ton qu'il espérait désinvolte.

— Elle est sublime, répondit Bree, enthousiaste.

Gianni fut envahi par un intense soulagement. Mon Dieu ! Jusqu'à cet instant, il n'avait pas eu conscience de l'importance qu'il attachait à la réponse de Bree. S'il avait décelé la plus petite pointe de déception dans sa voix, il en aurait été mortifié…

Il laissa échapper un petit rire ravi.

— J'en suis ravi, dit-il en la prenant par la taille.

— Et toi ? Comment la trouves-tu ?

— Si tu es heureuse, je suis heureux, *cara*.

Heureuse ?

Trois semaines plus tard, Bree avait une certitude. Elle était au comble du bonheur, dans un nouvel univers où elle avait enfin trouvé ce qu'elle avait toujours cherché sans le savoir.

Assise dans le jardin derrière la maison, elle regardait Gianni jouer avec le bébé. En le voyant faire semblant de mordre les pieds de Lucia, elle pouffa. Son cœur se gonfla de tendresse. Quelle chance elle avait de vivre avec un homme et une petite fille qu'elle adorait !

Même si son mariage n'en était pas vraiment un…

Dire que quelques semaines plus tôt, elle affirmait à Fallon qu'elle aspirait à une relation tranquille et sans complications !

Depuis que Gianni Firelli avait fait irruption dans son existence, elle vivait dans un perpétuel tourbillon.

La gorge de Briana se noua.

Ce qu'elle ressentait pour lui était si fort qu'après l'amour il lui arrivait de pleurer. Bien sûr, elle lui cachait cette passion qui la dévorait. Par moments, certaines inflexions de sa voix, certains regards, certains gestes faisaient naître en elle un fol espoir. Et si ce qu'il éprouvait pour elle allait au-delà du désir ?

Un soir, pendant le dîner, elle avait surpris un regard d'une telle intensité qu'elle avait failli se dévoiler. « Demande-lui ! s'était-elle dit. Demande-lui ce qu'il ressent pour toi ! »

Mais les mots n'avaient pas voulu franchir ses lèvres. Elle se considérait comme une femme courageuse. Cependant, poser ce genre de question demandait un courage hors du commun. Que se passait-il si on n'obtenait pas la réponse attendue ?

Elle ne pouvait pas prendre ce risque. Par miracle, il lui restait encore quelques bribes de raison. Elle devait tenter à tout prix de les préserver.

Cependant, la veille au soir, elle avait bien failli se trahir. Alors qu'il l'embrassait après l'amour, il avait senti des larmes couler sur ses joues.

— *Cara !* Pourquoi pleures-tu ? s'était-il exclamé.

« Je pleure parce que je t'aime et que je ne veux pas te perdre. » Au moment où les mots s'apprêtaient à jaillir de sa bouche, Lucia s'était mise à pleurer pour réclamer son biberon. C'était le jour de congé de Gemma, sa nurse.

Briana avait aussitôt bondi hors du lit avec un soulagement intense. Gianni l'avait saisie par la main.

— Tu restes là. Je m'occupe du bébé.

— Non, ce n'est pas la peine, avait-elle assuré. Je suis déjà debout.

Elle avait fait chauffer un biberon, s'était rendue à la nurserie, avait pris Lucia dans ses bras et s'était assise dans un rocking-chair pour la nourrir. Tout en fredonnant à mi-voix, elle n'avait pu s'empêcher de regretter son manque de courage.

Mais presque aussitôt, elle s'en était au contraire réjouie. Gianni et elle avaient conclu un accord et il n'avait jamais été question de modifier ce dernier.

Dans une semaine, ils rentreraient à New York et engageraient une procédure de divorce à l'amiable. Elle redeviendrait mademoiselle O'Connell. Gianni redeviendrait célibataire. Ils vivraient sur le même palier. Ils élèveraient Lucia ensemble.

Et elle feindrait de ne pas attacher plus d'importance que lui à ce qui pourrait se passer de l'autre côté du mur qui les séparerait.

— Coucou !

Elle leva la tête. Gianni s'assit dans l'herbe à côté d'elle, le bébé dans les bras. Il faisait très chaud et il était en maillot de bain. Lucia, qui portait une couche ornée d'ours en peluche, adressait de grands sourires édentés à son tuteur, pour qui elle avait une adoration manifeste.

« Nous sommes deux, petite », songea Bree, la gorge nouée.

— Ça va ? demanda Gianni.

— Très bien. Je profite du soleil.

Se penchant vers elle, il déposa un baiser sur son épaule.

— Tu as un goût délicieux.

— C'est le lait solaire, dit-elle en souriant. Comment va Lucia ? A-t-elle besoin d'être changée ?

— C'est fait.

Gianni était visiblement très fier, songea-t-elle avec attendrissement. La première fois qu'elle l'avait incité à changer la couche de Lucia, il avait eu un mouvement de recul.

— Moi ? s'était-il exclamé d'un air horrifié.

— Oui, toi, avait-elle répondu. Nous partageons tout, tu te souviens ?

— Oui, bien sûr. Mais…

Il avait froncé son élégant nez romain.

— *Cara*. Le bébé…

— Sent mauvais, avait-elle complété d'un ton enjoué. C'est justement pour cette raison qu'il faut la changer.

Il s'était exécuté bravement. Certes, il était un peu pâle à la fin de la séance. Mais elle aussi avait eu la même réaction la première fois. Après tout, elle n'avait pas plus d'expérience que lui.

Quand on avait des neveux, on donnait de temps en temps un biberon ou on changeait une couche mouillée, mais la plupart du temps, on se contentait de bêtifier en regardant les parents s'affairer.

Le rôle de mère était bien différent.

Briana se mordit la lèvre. Elle était la tutrice de Lucia. Pas sa mère.

Pas plus qu'elle n'était la femme de Gianni.

— Encore ce regard étrange. Dans quelles pensées es-tu perdue, Briana ?

Elle s'efforça de reprendre ses esprits. Le sourire de Gianni était tendre et complice, constata-t-elle en frissonnant. Y avait-il au monde un spectacle plus merveilleux que celui d'un homme tenant dans ses bras un bébé ?

— Je me demandais simplement ce que nous pourrions manger au dîner, répliqua-t-elle d'un ton qu'elle espérait léger.

Le sourire de Gianni se fit coquin. Ses prunelles s'assombrirent et elle vit s'y allumer la petite étincelle annonciatrice d'ébats amoureux.

— J'ai une idée pour le goûter, dit-il d'une voix câline. Rentrons, *cara*.

— Le bébé…

— C'est l'heure de sa sieste.

Il se leva et tendit la main.

— Viens avec moi.

Briana le suivit dans la maison. Elle ferma les volets de leur chambre, tandis qu'il emmenait Lucia à la nurserie.

Il la rejoignit, la dévêtit et l'emmena dans un pays extraordinaire dont ils ne se lassaient pas d'explorer les richesses.

Cet homme ne l'aimait peut-être pas, mais il éprouvait de l'affection pour elle. La tendresse extraordinaire qu'il lui manifestait en était la preuve.

« Je t'aime, songea-t-elle tandis qu'il la serrait contre lui. Gianni, je t'aime tant… »

Elle ferma les yeux et sombra dans le sommeil.

Gianni effleura les cheveux de Briana du bout des lèvres. Comme il aimait son odeur… Son goût. Le contact de son corps contre le sien.

A vrai dire, il l'aimait. S'il ne le lui avouait pas très bientôt, il allait devenir fou. Il fallait juste trouver le bon moment.

Allons, inutile de se raconter des histoires. Le bon moment s'était déjà présenté plusieurs fois, mais malheureusement, il n'était qu'un lâche.

Et si Briana ne partageait pas ses sentiments ? Cette éventualité le terrorisait.

Il avait pourtant l'habitude de prendre des risques. Mais jusqu'à présent, il n'avait jamais exposé que son ego.

Aujourd'hui, c'était son cœur qu'il risquait de perdre. Et jamais il ne s'était senti aussi vulnérable.

Il venait de vivre les trois plus belles semaines de sa vie, mais bientôt, ils regagneraient New York. Il en avait si peu envie qu'il avait envisagé de prolonger leur séjour en Sicile. Malheureusement, une affaire importante l'obligeait à rentrer.

Comment avouer à Briana ce qu'il ressentait pour elle ? « *Cara,* je t'adore et je ne divorcerai pas. » Non, surtout pas ! Elle le trouverait trop autoritaire.

Préférer plutôt « je n'ai plus envie de divorcer » par exemple. Et surtout, lui demander son avis. Ne pas avoir l'air de lui imposer une décision déjà prise.

Elle remua dans ses bras, ouvrit les yeux, lui sourit.

— J'ai dormi ?

Gianni hocha la tête.

— Oui. A ta place, dans mes bras.

Une expression étrange se peignit sur le visage de Briana.

— Tu le penses vraiment ? Que ma place est dans tes bras ?

Bon sang ! Aurait-il encore gaffé ?

— *Cara*, je voulais juste dire…

— J'ai compris ce que tu voulais dire.

155

Quel idiot ! Il avait tout gâché ! se dit-il avec désarroi. Mais à sa grande surprise, elle se redressa et s'empara de sa bouche.

Les jours défilèrent à une vitesse vertigineuse jusqu'à la veille de leur départ.

Gemma était partie. Ils étaient seuls dans la maison. Gianni, Briana, le bébé… et une tension palpable.

Gianni était furieux contre lui-même. En trois semaines, il n'avait pas été capable de trouver le bon moment ni les mots justes pour dire à Briana qu'il l'aimait ! Comment pouvait-il être aussi nul ?

Quant à elle, pourquoi était-elle aussi bizarre depuis quelques jours ? La veille, après le dîner, il l'avait surprise en train de l'observer. Que signifiait son regard étrange ? Il n'avait pas réussi à le déchiffrer.

— Qu'y a-t-il, *cara* ? avait-il demandé.

— Rien, avait-elle fini par répondre après un long silence.

De toute évidence, elle mentait, mais à cet instant le bébé s'était mis à pleurer, l'empêchant d'en avoir le cœur net.

Lucia, d'ordinaire le plus joyeux des bébés, était devenue grognon pendant plusieurs jours. Ils l'avaient emmenée chez un médecin qui avait diagnostiqué une otite sans gravité. Les antibiotiques l'avaient calmée, cependant, elle avait continué à se réveiller en pleurs pendant quelque temps, et ils avaient pris l'habitude de se relayer pour faire le tour de la maison en la berçant dans leurs bras. Pendant toute cette période, ils étaient restés sur le qui-vive, même quand elle était calme.

Ce soir était leur dernière soirée. Dieu merci, Lucia était complètement rétablie. C'était le moment où jamais de dire à Briana qu'il l'aimait et qu'il ne voulait pas mettre fin à leur mariage.

Le mieux était de dîner dehors, décida-t-il. Ils seraient plus tranquilles pour discuter. Bien sûr, il faudrait emmener Lucia, mais il y avait au village un café avec une terrasse suffisamment vaste pour accueillir un landau. Là, à la fin du repas, devant un *espresso*, il pourrait plonger son regard dans celui de Bree et remettre sa vie entre ses mains.

Mais à sa grande déception, Bree déclara qu'elle n'avait pas envie de sortir. Elle voulait dîner à la maison.

— Je vais faire la cuisine, décréta-t-elle. Après tout, c'est notre dernier repas.

Cette affirmation eut un écho sinistre. Ils échangèrent des sourires crispés.

Avait-elle hâte de rentrer chez elle et de reprendre le fil de sa vie ? se demanda Gianni avec un pincement au cœur. Pourvu qu'elle n'attende pas avec impatience le moment de mettre fin à leur mariage…

Allons, il était inutile de ruminer des pensées négatives, songea-t-il. Après tout, dîner à la maison ne contrarierait pas ses projets. Il attendrait que le bébé soit endormi, puis il prendrait Briana dans ses bras — à moins qu'il mette un genou à terre ? — et il lui ouvrirait son cœur.

Bien sûr, ils étaient déjà mariés. Cependant, ce serait tout de même une vraie demande en mariage. Une déclaration d'amour éternel… Bon sang ! Il allait devenir fou s'il était obligé d'attendre une minute de plus.

Pourquoi ne pas le lui dire maintenant ?

— Briana, il faut que nous parlions.

Elle avait dû percevoir une note d'anxiété dans sa voix, se dit-il en la voyant se tourner vivement vers lui avec une expression étrange.

— De quoi ? demanda-t-elle d'une voix étranglée.

Il fut envahi par une sourde angoisse. Aurait-elle deviné ce qu'il voulait lui dire ? Dans ce cas, elle ne semblait pas avoir envie de l'entendre...

— *Cara.*

Il tendit la main.

— Viens t'asseoir. Je voudrais...

Il fut interrompu par la sonnerie de son téléphone portable. Réprimant un juron, il décrocha. Allons bon. La *signora* était la dernière personne à laquelle il avait envie de parler !

Depuis une semaine, elle leur rendait visite tous les jours, sous prétexte de voir le bébé. Mais en réalité, elle prêtait à peine attention à Lucia. En fait, c'était Briana et Gianni qu'elle observait. Ses yeux noirs épiaient le moindre de leurs gestes.

— *Signora,* je vous rappelle dans un...

La *signora* l'interrompit. Gianni leva les yeux au ciel, puis tout à coup son visage s'éclaira.

— Qu'y a-t-il ? demanda silencieusement Briana.

Il lui fit signe d'attendre.

— Bien sûr, dit-il. Bien. Très bien. Je vous suis très reconnaissant. Oui. Merci, *signora.* Je vous rappelle. Très bien. Au revoir.

— De quoi la remerciais-tu ? demanda Briana.

Il expliquerait tout à Briana, mais plus tard. Avant toute chose, il devait lui déclarer son amour.

— Plus tard.

— Non, maintenant, Gianni. Pendant qu'elle te parlait, tu avais la mine d'un chat qui vient d'avaler un canari.

— C'est vrai. Mais je veux que ce soit une surprise.

Une surprise digne d'être célébrée avec du caviar et du champagne.

— Bree ? Tu es sûre que tu ne veux pas dîner dehors ?

N'avait-il donc pas envie de passer leur dernière soirée en tête à tête dans cette maison qui était un peu devenue leur « chez eux » ? se demanda Briana, le cœur serré.

— Si tu tiens à sortir, pourquoi pas ? répliqua-t-elle d'une voix crispée.

— Non, ça m'est égal. Rester à la maison me convient. Enfin… ce n'est pas vraiment chez nous. Je veux dire…

— Je sais ce que tu veux dire, coupa-t-elle d'un ton vif en lui tournant le dos.

Il l'observa. Pourquoi semblait-elle aussi tendue ? S'il s'écoutait, il la prendrait dans ses bras et lui avouerait qu'il était anxieux parce qu'il s'apprêtait à lui demander de rester mariée avec lui. Ensuite, il lui dirait que la *signora* venait de lui annoncer une nouvelle en forme de cerise sur le gâteau…

Mais mieux valait attendre encore un peu. Le bébé allait s'endormir, ils seraient seuls…

Il prit Lucia dans son siège.

— Je vais la coucher. Peux-tu nous servir un verre de vin ?

— D'accord.

Bree attendit qu'il ait quitté la cuisine, puis elle s'affaissa contre le comptoir. Seigneur ! Ses jambes menaçaient de la lâcher… Elle n'en pouvait plus ! C'était maintenant ou jamais.

Entre le moment où elle s'était réveillée dans les bras de Gianni et celui où elle avait donné son bain à Lucia, elle avait pris une grande décision. Elle allait avouer ses sentiments à Gianni.

Ou plus exactement, elle allait lui dire qu'elle souhaitait rester mariée encore quelque temps avec lui. S'il acceptait avec une joie manifeste et l'embrassait tendrement, peut-être rassemblerait-elle tout son courage pour lui révéler qu'elle était tombée amoureuse de lui.

Cependant, il y avait un imprévu. Pourquoi la *signora* avait-elle appelé ? C'était une surprise, avait dit Gianni. Bonne, apparemment. Mais était-ce bien certain ?

Devait-elle renoncer à ses projets ?

Non. Pas question. Elle était la fille d'un joueur, et pour la première fois de sa vie, elle avait envie de suivre l'exemple paternel. Ne disait-on pas « Qui ne risque rien n'a rien » ?

Elle ouvrit le réfrigérateur. Un dîner fin arrosé d'un bon vin et ensuite…

Elle se jetterait à l'eau.

Au grand dam de Briana, rien ne se passa comme prévu.

Elle avait mis la table sur la terrasse. Or avant qu'ils aient terminé leur melon et proscuitto, un nuage noir surgi de nulle part s'immobilisa juste au-dessus d'eux et déversa des trombes d'eau sur la terrasse.

Briana se releva d'un bond en poussant un cri. Gianni éclata de rire. Ils prirent le vin, les assiettes, l'argenterie et coururent se réfugier à l'intérieur. Du moins la soudaine averse avait-elle rompu le silence qui s'était installé entre eux.

— Tu es trempée, *cara*. Veux-tu te changer ?

Se changer ? Et retarder encore le moment de vérité ?

— Non, ce n'est pas la peine.

— Parfait. Je vais dresser le couvert sur la table de la salle à manger.

Bree apporta le poulet aux champignons qu'elle avait déjà fait une centaine de fois auparavant. Jamais elle n'avait raté son plat « spécial invités », et pourtant ce soir, c'était un vrai désastre. Le poulet était caoutchouteux, les champignons trop cuits et la sauce au vin dont elle avait arrosé la pasta avait un goût de vinaigre brûlé.

— C'est délicieux, commenta charitablement Gianni.

— C'est immangeable, rectifia-t-elle en posant sa fourchette.

Décidément, tout allait à vau-l'eau. Pourvu que ça ne soit pas de mauvais augure…

— Gianni.

— Briana.

Ils avaient parlé en même temps. Leurs regards se rencontrèrent. Gianni posa sa fourchette sur son assiette et posa les mains sur la nappe de lin blanc. Ses poings étaient crispés. Un muscle de sa mâchoire tressaillait.

Le cœur de Briana se serra. Pourquoi avait-il une mine aussi sombre ?

— Toi d'abord, dit-elle.

— Non, vas-y.

— Je préfère que tu commences.

Il hocha la tête. S'éclaircit la voix. Repoussa sa chaise, se leva, se rassit, les poings toujours crispés, la mâchoire serrée.

Il s'éclaircit de nouveau la voix.

— Briana.

— Oui.

— Il y a quelque chose dont je souhaite te parler depuis plusieurs jours.

— Je t'écoute.

— Mais d'abord, laisse-moi t'expliquer ce coup de téléphone de la *signora* Massini.

Après tout, autant commencer par le plus facile, décida-t-il au dernier moment.

— Apparemment, elle a réfléchi à l'avenir de Lucia. Elle propose de signer un document par lequel elle s'engage à ne jamais réclamer la garde de l'enfant.

C'était une excellente nouvelle, mais pas celle qu'elle espérait, songea Briana avec une pointe de déception.

— Elle a également souligné que notre « période d'essai »
de trente jours touchait à sa fin.

Gianni eut un sourire crispé.

— Je lui ai confirmé que nous en étions conscients.

Bree hocha la tête. Mieux valait rester silencieuse. Sa voix
risquer de trahir son désarroi.

— Cette proposition simplifie considérablement la situation,
poursuivit Gianni. Désormais, nous sommes assurés de
conserver la garde de Lucia quoi qu'il arrive.

— N'était-ce pas déjà le cas, de toute façon ?

— Oui, bien sûr, mais…

Il hésita.

— Notre divorce aurait pu soulever des problèmes.

Et voilà. Son cœur était en miettes, songea Bree, effon-
drée.

— Notre divorce, répéta-t-elle d'une voix blanche.

— Oui.

Gianni lui prit la main.

— Si nous avions été obligés de nous battre pour la garde de
Lucia après la dissolution de notre mariage, l'issue du procès
aurait été incertaine.

— La dissolution de notre mariage, répéta-t-elle comme
un perroquet parfaitement entraîné.

Gianni déglutit péniblement. Ça ne se présentait pas bien.
Plaider devant un jury s'avérait beaucoup plus facile que
d'ouvrir son cœur à la femme qu'on aimait. Et pourquoi le
regardait-elle de cet air sinistre ? Etait-elle furieuse, triste,
soulagée ? Impossible de le deviner.

— La seule solution aurait été de rester mariés un peu plus
longtemps que prévu, mais ce n'était pas ce que nous avions
décidé.

— En effet, commenta Bree avec un calme qui la
surprit.

Gianni prit une profonde inspiration. Prêt ou pas, c'était l'instant de vérité.

— Justement, *cara,* à propos de notre arrangement… je trouve qu'il est inutile de le modifier. Nous pouvons rentrer chez nous et vivre ensemble tout simplement.

— Tu veux dire coucher ensemble.

Il la regarda d'un air interloqué.

— Eh bien… oui, bien sûr, mais…

— Non.

— Pardon ?

Elle lui retira ses mains.

— Il n'est pas question qu'une fois de retour à New York, nous continuions de jouer cette… comédie du bonheur que tu as créée de toutes pièces.

— Mais enfin, Briana…

Elle se leva en repoussant vivement sa chaise.

— Tu as raison. Il est inutile de modifier notre arrangement. C'est la meilleure nouvelle de la soirée.

— En effet, *cara*, parce que…

— Ne m'appelle plus jamais comme ça !

Gianni resta bouche bée. Que diable se passait-il donc ? Il venait d'annoncer à sa femme que leurs droits sur Lucia ne pouvaient plus être remis en cause et qu'il ne voulait pas divorcer. Apparemment, elle était du même avis. Alors pourquoi dardait-elle sur lui un regard meurtrier ?

— Quel est ton problème ? demanda-t-il en s'exhortant au calme. Tu ne veux pas de Lucia ? Tu ne veux pas vivre avec moi ?

— Je veux Lucia, bien sûr. En revanche, je ne veux pas « vivre » avec toi.

Il plissa les paupières.

— Mais je croyais… Ces trois semaines que nous venons de passer ensemble…

— Tu pensais que notre arrangement prendrait fin mais que nous continuerions à partager le même, lit, c'est ça ?

— Mais puisque je t'ai dit qu'il était inutile de modifier ce fichu arrangement !

— Arrête de crier.

— Je ne crie pas ! hurla-t-il en tapant du poing sur la table. Je discute raisonnablement.

— Moi aussi.

— Pourquoi m'en veux-tu ?

— Le fait que tu me poses la question prouve qu'il est inutile que j'essaie de te l'expliquer.

Gianni leva les yeux au ciel en se passant la main dans les cheveux.

— Elle est folle ! cria-t-il à l'adresse du plafond. Complètement folle !

— Non, avant j'étais folle. A présent, j'ai recouvré la raison, au contraire.

— Vas-tu m'expliquer quel est ton problème, oui ou non ? hurla Gianni.

Lucia se mit à pleurer.

— Tu as réveillé le bébé ! s'exclama Briana d'un ton réprobateur.

— Bree, s'il te plaît.

Gianni prit une profonde inspiration. Elle ne voulait pas rester mariée avec lui ? Elle ne l'aimait pas ? Non. Impossible. Il ne parvenait pas à le croire. Il devait y avoir un malentendu.

— Briana, il faut que nous parlions.

— Non, la discussion est close.

— Bree, s'il te plaît !

— Cesse de crier, tu fais peur au bébé.

— Briana, il faut que nous parlions !

Elle eut un petit rire méprisant.

— Décidément, tu n'as jamais réussi à te l'enfoncer dans le crâne, Firelli. Je n'obéis pas aux ordres.

Elle passa devant lui d'un pas décidé.

Alors qu'il essayait vainement de comprendre ce qui avait pu se passer, il entendit claquer la porte de la nurserie et le verrou se refermer.

Comment avaient-ils pu en arriver là ?

13.

Gianni ne prit même pas la peine de frapper à la porte de la nurserie. Bree entendit la porte d'entrée claquer, puis rugir le moteur de la Ferrari.

Parfait. Si elle se dépêchait, elle ne serait pas obligée de le revoir avant le jugement de divorce. Et ensuite, elle se limiterait aux rencontres strictement nécessaires dans le cadre de la tutelle de Lucia.

Celle-ci pleurait toujours. Bree la prit dans ses bras et la berça doucement.

— Ne pleure pas, ma chérie, chantonna-t-elle. Tout va bien se passer.

Les pleurs du bébé s'apaisèrent peu à peu. Bree l'embrassa sur le front, la berça encore un moment, puis la reposa dans son berceau.

— Toi et moi, nous allons partir en voyage, murmura-t-elle. On va bien s'amuser, tu verras.

Lucia laissa échapper un dernier gémissement avant de s'endormir. Bree se pencha sur le berceau et déposa un baiser sur la petite tête duveteuse. Puis elle gagna la chambre.

La chambre qu'elle avait partagée avec Gianni pendant trois semaines…

Le lit défait sur lequel Gianni l'avait déposée, tout alanguie après un après-midi au soleil, semblait remplir la pièce.

— Tu as besoin d'une petite sieste, *cara*, avait-il murmuré.

Mais loin de la laisser dormir, il l'avait embrassée, caressée, entraînée à plusieurs reprises jusqu'au sommet de la volupté...

Quel immonde calculateur, égoïste et intéressé !

Elle ne l'avait jamais aimé. Pas un instant. Ce qu'elle avait éprouvé pour lui n'était que du désir.

Elle ouvrit la porte du placard, prit sa valise et la jeta sur le lit. Puis elle ouvrit un des tiroirs de la penderie d'un geste si brusque qu'elle faillit le faire tomber par terre.

Fallon avait suggéré qu'elle n'avait jamais connu la vraie passion. Eh bien, c'était fait, songea-t-elle sombrement. A présent, elle n'avait qu'une hâte : s'échapper de cet enfer. Dire qu'elle s'était raconté un conte de fées avec Gianni Firelli dans le rôle du prince charmant !

Comment avait-elle pu être aussi stupide ?

Bree jeta dans la valise les vêtements qu'elle avait apportés de New York pour un week-end. Pas question d'emporter ceux que l'empereur Firelli lui avait achetés quand il avait décidé — sans la consulter — de prolonger leur séjour...

Elle s'assit sur le bord du lit.

Heureusement, il y avait Lucia. Qui aurait pu imaginer qu'elle éprouverait un tel bonheur à être la maman de cette petite fille ? Elle n'était pas vraiment sa mère, bien sûr. Elle le savait. Cependant, pendant quelque temps elle en avait eu l'impression.

Ils avaient formé une famille. Lucia, elle, Gianni.

A son grand dam, des larmes embuèrent ses yeux. Que lui prenait-il ? Elle savait depuis le début que ce mariage ne durerait pas.

L'essentiel, c'était Lucia. L'amour qu'elle éprouvait pour ce petit bout valait toutes les passions du monde. Elles allaient vivre une belle et longue histoire ensemble.

Mais pas sur le même palier que Gianni Firelli ! Contrairement à ce que prétendait l'empereur, ils n'étaient pas obligés de vivre côte à côte. Ils n'étaient même pas obligés de vivre dans le même Etat, à vrai dire.

Beaucoup de divorcés — qui avaient été réellement mariés ! — vivaient à des milliers de kilomètres de distance et ça ne les empêchait pas de partager la garde de leurs enfants. Pourquoi serait-ce impossible pour des tuteurs ?

Elle allait reprendre sa vie en main, et sans attendre.

Avant tout, quitter cette maison avant le retour de Gianni. Jamais elle ne parviendrait à maîtriser sa colère en sa présence et il n'était pas question de se donner en spectacle.

Elle allait mettre dans sa valise des affaires pour Lucia, appeler un taxi et demander au chauffeur de la conduire...

Où ?

Bien sûr, elle pourrait aller chez Fallon et Stefano, de l'autre côté de l'île. Depuis son arrivée, elle avait évité de prendre contact avec sa sœur pour ne pas avoir à lui annoncer son mariage qui n'en était pas un. Mais à présent, elle pouvait peut-être lui expliquer la situation...

Non. Très mauvaise idée. Comment échapper à Gianni en se réfugiant dans la maison de son meilleur ami ?

Bree se mordit la lèvre.

Elle pouvait retourner à New York, se terrer dans son appartement... et voir surgir Gianni, exigeant qu'elle se conforme aux dispositions qu'il avait prises pour elle.

Et si elle allait à Boston ? Chez Cameron. Non. Cameron et sa femme venaient d'avoir un bébé. Tout comme Keir et Cassie. Sean était encore en voyage de noces... Quant à Megan, elle était en voyage officiel avec son cheikh de mari.

Dommage. Meg aurait été la plus à même de la comprendre. Elle aussi avait fait un mariage de raison. Cependant, ça n'avait rien à voir. En fait, Meg et Qasim s'étaient aimés dès leur première rencontre. Il leur avait juste fallu un peu de temps pour en prendre conscience.

En revanche, Gianni ne l'avait jamais aimée. Jamais. Quant à elle…

Bree déglutit péniblement. Elle ne l'avait jamais aimé non plus.

Il fallait qu'elle se réfugie dans un endroit sûr, où Gianni ne risquait pas de la retrouver avant qu'elle soit prête à l'affronter. Elle ne le reverrait qu'une fois le divorce prononcé, et uniquement pour régler les problèmes concernant la garde de Lucia.

En fait, l'endroit le plus indiqué était Las Vegas. La ville des mariages éclairs et des divorces fulgurants. La ville où elle avait grandi, aussi.

Certes, Vegas présentait un inconvénient. Celui-ci se nommait Mary Elizabeth O'Connell-Coyle. Expliquer la situation à sa mère risquait de ne pas être simple. Toutefois, la présence de Lucia lui faciliterait les choses. Au premier regard, sa mère allait être conquise.

Par ailleurs, il suffirait d'informer son beau-père qu'elle ne voulait avoir aucun contact avec Gianni pour que le *signore* Firelli soit déclaré *persona non grata* au Lucky Palace. Même s'il retrouvait sa trace, il ne parviendrait jamais à déjouer la vigilance de l'équipe de sécurité de l'hôtel !

Une fois sa décision prise, Bree passa à l'action. Elle mit des affaires pour Lucia dans sa valise, téléphona à l'aéroport pour réserver un vol et commanda un taxi.

Il ne restait plus qu'un détail à régler. Ecrire un mot à Gianni. Même s'il y avait des chances pour qu'il soit ravi de ne pas la trouver en rentrant, il risquait de s'inquiéter pour le bébé. Aussi griffonna-t-elle sur une feuille de papier :

« Lucia est avec moi. Je prendrai contact avec toi dès que je me serai organisée. »

Elle lut son mot à haute voix. Parfait. C'était direct, clair et concis. Elle cala la feuille sur une table dans le hall, au moment où une voiture s'arrêtait devant la maison.

Son cœur fit un bond dans sa poitrine. Etait-ce Gianni ? Etait-il revenu pour lui dire…

Un coup de Klaxon retentit. Bree laissa échapper un soupir. De soulagement ou de déception ? A vrai dire, elle n'en savait rien. C'était le taxi. Aucune Ferrari ne pourrait émettre un son aussi pathétique.

Elle ouvrit la porte.

— *Uno momento*, cria-t-elle.

Elle prit Lucia et la valise, puis elle ferma la porte derrière elle. Les quatre semaines de folie étaient terminées.

Bree téléphona à sa mère depuis l'aéroport.

— Bonjour ! dit-elle d'un ton enjoué. Que diriez-vous d'une petite visite ?

— Oh, ma chérie, quelle bonne nouvelle ! Quand ?

— Tout de suite ?

— Tu veux dire que tu es là ? A Las Vegas ?

— Oui. Ça ne vous dérange pas ? Si Dan et toi vous êtes occupés…

— Briana, comment peux-tu dire des bêtises pareilles ? Nous serons ravis de te voir. C'est une merveilleuse surprise.

— A vrai dire… ce n'est pas la seule surprise que j'ai pour vous, maman.

170

Bree hésita. Mieux valait préparer sa mère. Elle avait eu une attaque quelques mois plus tôt. Une surprise, même aussi mignonne que Lucia, risquait de lui causer un choc dangereux.

— Je ne suis pas seule.

A peine eut-elle fini de prononcer ces mots qu'elle se rendit compte de leur ambiguïté. Nul doute que sa mère était déjà en train d'imaginer un superbe fiancé prêt à lui passer la bague au doigt...

— Oh, ma chérie, comme je suis heureuse ! s'exclama Mary. Comment s'appelle-t-il ?

« Gagné ! » songea Bree. Elle prit une profonde inspiration.

— Ce n'est pas un « il », maman. C'est un bébé.

Il y eut un long silence.

— Pardon ?

Bree ferma les yeux. Elle était épuisée — deux changements d'avion — affamée et déprimée. Pourquoi déprimée ? Mystère. Après tout, elle avait survécu à un mois en enfer. Pourquoi serait-elle déprimée ?

— Un bébé, répéta-t-elle d'une voix lasse. Maman ? Ce sera plus simple de t'expliquer tout ça de vive voix, d'accord ?

— Dis-moi juste une chose, Bree. Est-ce que cet enfant est à toi ?

— Oui. Non.

Bree soupira.

— Elle est à moi d'un point de vue légal. Est-ce que je lui ai donné le jour ? Non.

— Ah. Dans ce cas, je suppose qu'il n'y pas d'homme dans ta vie, commenta Mary, visiblement déçue.

— Non, il n'y en a plus, répliqua Bree avant de raccrocher.

Ils l'attendaient devant l'entrée de l'hôtel. Sa mère, superbe et visiblement très en forme. Son beau-père, un sourire perplexe mais chaleureux aux lèvres. Mary embrassa Bree, regarda Lucia et poussa un petit soupir extasié.

— Oh, ma chérie, comme tu es mignonne ! Comment t'appelles-tu, mon chou ?

— Elle s'appelle Lucia. Tu te souviens de mon amie Karen ? Elle est venue ici avec moi pour les vacances de printemps quand nous étions en deuxième année à l'université.

— Oui, bien sûr.

— Karen et son mari ont eu un accident. Ils… n'ont pas survécu. Et il s'est avéré qu'ils m'avaient désignée comme tutrice de leur fille.

Incroyable, comme c'était facile à raconter quand elle omettait de mentionner Gianni ! songea Bree. Elle en parlerait plus tard.

— Comme c'est triste ! dit Mary d'une voix douce. Mais Karen a fait un excellent choix en te désignant pour t'occuper de sa fille.

Bree ouvrit de grands yeux. Elle qui croyait que sa mère la considérait comme une bohémienne irresponsable !

— Tu le penses vraiment ?

— Bien sûr, ma chérie. Tu as le plus grand cœur du monde.

Mary ouvrit les bras en souriant.

— Bonjour, Lucy. Viens vite voir grandma.

— Mais elle n'est pas vraiment…

Bree s'interrompit. Certes, Lucia… Lucy n'était pas vraiment son enfant. Cependant, Mary avait déjà compris qu'elle la considérait comme sa fille.

Gianni la traitait lui aussi comme si c'était sa fille. Si seulement elle et Gianni… Si seulement leur mariage…

— Bree ?

Le sourire de Mary s'estompa. Elle tendit le bébé à Dan et se tourna vers Briana.

— Ma chérie, qu'y a-t-il ?

Bree secoua la tête. Elle n'avait jamais eu l'habitude de s'épancher auprès de Mary. Sa mère avait toujours été si occupée à jongler avec ses propres problèmes...

— Ma chérie, insista Mary. S'il te plaît, que se passe-t-il ? On dirait que tu as le cœur brisé.

Un sanglot s'échappa de la gorge de Briana.

— C'est exactement ça, avoua-t-elle en se jetant dans les bras de sa mère.

Perchée sur un tabouret, Bree était attablée au comptoir de la cuisine devant une tasse de tisane.

Mary avait été parfaite. Pas de questions, pas de conseils. Elle s'était contentée d'entraîner tout le monde jusqu'à l'appartement, au dernier étage de l'hôtel. Après avoir couché Lucia dans un berceau fourni par l'intendance, et envoyé Dan faire une course, elle avait mis de l'eau à bouillir.

— Tu vas boire une tisane, décréta-t-elle. Pour te détendre.

A présent, elle s'affairait dans la cuisine. Mary avait une gouvernante et une cuisinière depuis des années, mais ça ne l'empêchait pas de faire des tas de choses elle-même.

— Pourquoi tu travailles tellement, maman ? se souvint avoir demandé Briana un jour où sa mère préparait le dîner.

— Parce que ça me fait plaisir, avait répondu Mary.

« Parce que c'est ce que papa attend d'elle », avait pensé Bree à l'époque. Se serait-elle trompée ? se demanda-t-elle en observant sa mère. Ruarch était parti depuis longtemps, mais Mary aimait toujours autant s'agiter. Avec la tisane, elle avait préparé des toasts à la cannelle parce qu'elle savait que Briana adorait ça quand elle était enfant.

A présent, elle épluchait des pommes de terre et des carottes, s'arrêtant de temps à autre pour surveiller ce qui cuisait dans le four en exhalant une odeur alléchante.

— C'est un rosbif, dit-elle en suivant le regard de sa fille. Le plat préféré de Dan.

Bree but une gorgée de tisane.

— Celui de papa, c'était le pain de viande.

— Tu te souviens de ça ?

— Comment aurais-je pu oublier ? Tu en faisais une fois par semaine.

— Bien sûr. Je le faisais parce que ton père aimait ça. De même que je faisais des cookies au chocolat pour toi, du pudding à la vanille pour Sean… C'est un grand plaisir de cuisiner pour les gens qu'on aime.

Bree posa sa tasse.

— Est-ce pour cette raison que tu n'as jamais rien dit quand papa t'obligeait régulièrement à déménager ?

Pourquoi avait-elle posé cette question ? se demanda aussitôt Briana. Elle n'en avait pas vraiment eu l'intention. Mais après tout, tant mieux. Sa mère s'immobilisa quelques secondes. Puis elle se remit au travail en souriant.

— Il ne m'a jamais obligée, Briana. D'où te vient cette idée ?

— Oh, je le voyais bien. Tu avais une moue qui signifiait « Oh, non, pas encore ! »

Mary secoua la tête.

— Si c'est ce que tu pensais, tu avais tort. Je reconnais que ce n'était pas facile de repartir de zéro chaque fois.

Elle s'essuya les mains avec un torchon, se versa de la tisane et sourit à Briana.

— Mais je comprenais que ton père avait besoin de continuer à poursuivre son rêve.

— Je vois.

— Non, objecta Mary d'une voix douce. Je sais que tu ne comprends pas. Dis ce que tu as sur le cœur.

Bree leva les yeux. La question qu'elle retenait depuis si longtemps franchit ses lèvres avec une facilité déconcertante.

— Et ton rêve à toi, maman ? Ne comptait-il pas ?

— Mon rêve c'était ton père, Briana. Je sais que depuis des années tu brûles de me dire que je l'ai laissé régenter ma vie, mais...

— Je n'ai jamais dit...

— Ce n'était pas la peine, chérie. Tu étais aussi transparente que du cristal.

Mary prit la main de sa fille.

— Ton père était mon rêve et j'étais le sien.

— Je ne dis pas qu'il ne t'aimait pas.

— Heureusement, parce que tu n'en as pas le droit, répondit Mary sans cesser de sourire mais d'un ton sans réplique. Ton père était un joueur. Moi aussi. J'ai renoncé à une existence morne pour une vie exaltante et pleine d'imprévus. J'ai suivi l'homme que j'aimais.

Elle se pencha vers Bree.

— Un soir, ton père rentrait et disait « Mary, ma chérie, j'ai entendu parler d'une occasion exceptionnelle. » Et je répondais « Explique-moi ce que c'est pendant que je fais les valises, Ruarch. » Si tu penses que c'est de la faiblesse d'aimer suffisamment un homme pour avoir envie de le suivre n'importe où, alors tu n'es encore jamais vraiment tombée amoureuse. Passionnément amoureuse.

Décidément... Fallon lui avait tenu le même discours quelques semaines plus tôt, songea Briana. Sa mère et sa sœur avaient-elles raison ? Avait-elle considéré sa passion pour Gianni comme une faiblesse ?

Il était vrai que ce qu'elle avait ressenti pour lui l'avait terrifiée.

— Bree ? Ma chérie ? Tu es tombée amoureuse, n'est-ce pas ? Je le vois dans tes yeux.

Des larmes inondèrent les joues de Briana.

— C'est trop tard, murmura-t-elle d'une voix brisée. De toute façon, ça n'a aucune importance. Il était mon rêve, mais je n'étais pas le sien.

— Oh, ma chérie.

Mary sortit un mouchoir en papier de sa poche.

— Sèche tes yeux, mouche-toi et raconte-moi tout.

Bree se confia à sa mère sans omettre un seul détail, pas même l'intensité de sa passion pour Gianni. Elle lui avoua qu'elle rêvait qu'il partage son amour et prenne au sérieux les serments qu'ils avaient échangés lors de leur mariage.

— Je veux passer le reste de ma vie avec lui, mais il ne veut pas de moi.

Elle regarda sa mère, les yeux toujours noyés de larmes, mais avec une lueur de défi dans le regard.

— Je ne veux pas être une compagne de passage qu'il pourra laisser tomber quand il en aura assez.

— Es-tu certaine que c'est vraiment ainsi qu'il te considère, Briana ? Lui as-tu parlé ?

— Il me l'a dit.

La voix de Bree se brisa de nouveau.

— Il veut que nous divorcions comme nous en étions convenus le jour où nous nous sommes mariés.

Elle déglutit péniblement.

— Et je vais lui donner satisfaction. Ensuite, je déménagerai à des milliers de kilomètres, afin de ne plus jamais le voir, sauf pour régler les problèmes concernant Lucia, et…

— Comment comptes-tu t'y prendre exactement, alors que je n'ai pas l'intention de te laisser partir ? tonna une voix masculine derrière Briana.

Elle écarquilla les yeux. Sur le visage de sa mère, l'inquiétude faisait rapidement place à la curiosité, constata-t-elle.

— Réponds-moi, Briana. Comment vas-tu faire pour divorcer sans mon accord ?

Bree prit une profonde inspiration, descendit de son tabouret et se retourna.

Sur le seuil de la cuisine, Gianni, les bras croisés, les jambes écartées, le regard noir, était une véritable caricature de la colère.

Le cœur de Briana se gonfla de joie. Mais aussitôt, elle se morigéna. Comment pouvait-elle oublier que c'était un homme despotique qui voulait tout régenter et en particulier la vie de sa femme ?

Elle releva le menton.

— Que fais-tu ici, Gianni ? Je t'ai écrit que je prendrais contact avec toi.

— En effet. « Une fois que je me serai organisée. » J'ai trouvé ce mot d'une femme à son mari très touchant.

— Je ne suis ta femme que provisoirement.

— Tu resteras ma femme aussi longtemps que cela me conviendra.

Gianni regarda Mary Elizabeth.

— Je suppose que vous êtes la mère de mon épouse.

— Pour la dernière fois, Firelli, je ne suis pas ton…

— En effet, répliqua Mary d'un ton courtois en tendant la main à Gianni. Quel plaisir de vous rencontrer, monsieur Firelli.

Elle jeta un coup d'œil à Briana.

— Ma fille m'a beaucoup parlé de vous.

Gianni eut un large sourire.

— J'espère que vous n'avez pas cru un mot de ce qu'elle vous a raconté. Ce n'étaient que des mensonges.

Il porta la main de Mary à ses lèvres.

— En dépit des circonstances, je suis enchanté de faire votre connaissance, madame Coyle.

— Appelez-moi Mary, je vous en prie.

— Qu'est-ce qui vous prend ? s'exclama Bree. Ma mère est heureuse de te rencontrer, tu es enchanté de faire sa connaissance ? Et comment es-tu arrivé jusqu'ici ? La sécurité ne laisse monter personne à cet étage sans autorisation.

Le sourire de Gianni s'évanouit.

— Nous en discuterons plus tard. Pour l'instant, prends tes affaires. Et le bébé. Tu viens avec moi.

— Elle n'ira nulle part contre son gré, intervint Dan en surgissant derrière Gianni. Bree, ma chérie, cet homme prétend qu'il est ton mari.

Il toisa Gianni d'un regard glacial.

— Mais je le jetterai dehors moi-même si c'est ce que tu souhaites.

— Je vous le déconseille, intervint Gianni d'une voix douce. Vous êtes le beau-père de ma femme et je m'en voudrais d'être obligé de m'en prendre à vous.

— Combien de fois faudra-t-il te répéter que je ne suis pas ta femme ? s'exclama Briana avec exaspération.

— J'ai sur moi un certificat de mariage qui prouve le contraire.

— Ce n'est qu'un bout de papier.

— Un bout de papier officiel. Prends tes affaires, Briana. Je suis fatigué, j'ai faim, je suis furieux et je refuse de revenir sur une décision déjà prise.

Bree le regarda. De toute évidence, il était vraiment fatigué. Des cernes profonds creusaient ses yeux et une barbe naissante recouvrait sa mâchoire volontaire. Elle aurait tant voulu déposer un baiser sous chacun de ses yeux pour en effacer les cernes…

Elle tressaillit. Que lui prenait-il ? Quelle importance s'il était fatigué ? Elle s'en moquait éperdument ! Et pourquoi ne pouvait-elle s'empêcher de penser à lui comme à son mari ? Il ne le serait plus dans quelques semaines.

— Je ne te suivrai pas, déclara-t-elle sèchement.

Gianni regarda sa montre.

— Je te donne cinq minutes. Ensuite, je prends Lucia sous un bras, toi sous l'autre et je m'en vais.

— Oh, je t'en prie ! Ce cinéma de macho sicilien n'impressionne personne ici.

Il fit un pas vers elle, le regard noir.

— Croyais-tu vraiment pouvoir me fuir, *cara ?* Croyais-tu vraiment que je ne viendrais pas te chercher ?

— Ne m'appelle pas non plus « *cara* », s'il te plaît. Quel est le problème, *signore ?* Ton ego en a pris un coup parce qu'en principe c'est toi qui quittes les femmes et non l'inverse ?

Gianni croisa les bras d'un air suffisant.

— Tu ne peux pas me quitter. Tu ne peux pas divorcer sans mon accord.

Briana croisa les bras à son tour, le mimant inconsciemment.

— Bienvenue dans le monde réel, *signore*. Nous sommes aux Etats-Unis, pas en *Sicilia*. Je peux et je vais divorcer. Tu ne pourras pas m'en empêcher.

— Mais bien sûr que si, *cara*, rétorqua-t-il avec un sourire mielleux. Notre mariage a été contracté en Italie, souviens-toi.

— Et alors ?

— Alors, il ne peut être dissous que là-bas, mentit-il avec délectation.

Bree tressaillit.

— Pardon ?

— Je répète…

— J'ai parfaitement entendu, mais je ne te crois pas. C'est toi qui m'as dit que je pourrais aller au Mexique ou dans les Caraïbes pour divorcer, tu te souviens ?

Il se souvenait, en effet. Quel idiot ! Mais il le lui avait dit avant de s'avouer qu'il était éperdument amoureux de cette femme rebelle, obstinée, courageuse, sexy, superbe…

— J'avais tort.

— Le grand empereur avait tort ? Impossible.

— Il n'y aura pas de divorce, *cara*. Toi et notre bébé, vous rentrez à la maison avec moi.

— Non.

Bree se maudit intérieurement. Pourquoi fallait-il que sa voix tremble ?

— Il n'en est pas question, Gianni. Je ne veux pas vivre la vie que tu m'as organisée.

A son grand dam, elle sentit des larmes perler à ses paupières. Non ! Il ne fallait surtout pas qu'elle pleure…

— Je sais que tu seras un bon tuteur pour Lucia. Je n'étais pas sérieuse quand je parlais de déménager à des milliers de kilomètres. Mais je ne vivrai pas sur le même palier que toi. Je ne dormirai pas avec toi…

— En effet, tu ne vivras pas sur le même palier que moi, coupa Gianni d'une voix douce. Tu vivras avec moi, tu dormiras avec moi et tu feras l'amour avec moi parce que tu es ma femme, mon cœur. Je n'ai pas l'intention de renoncer à toi. Jamais.

Il y eut un silence impressionnant. Puis Mary s'éclaircit la voix.

— Dan ? Tu ne crois pas que le moment est tout indiqué pour que je te montre la zone du casino qui a besoin d'être redécorée.

— Tout de suite ? s'exclama Dan, visiblement incrédule.

— Tout de suite, confirma Mary d'un ton ferme en le rejoignant.

Au passage, elle embrassa Briana et lui murmura quelques mots à l'oreille. Puis elle se tourna vers Gianni.

— Bonne chance, monsieur Firelli.

— Appelez-moi Gianni, répliqua-t-il sans quitter Briana des yeux.

Mary eut un large sourire.

— Avec plaisir. Pourquoi être formalistes entre membres d'une même famille ?

— Membres d'une même famille ? s'indigna Briana. Maman, pour l'amour du ciel…

Elle parlait dans le vide. Sa mère avait pris son beau-père par le bras et l'avait déjà entraîné hors de la pièce.

Gianni et elle étaient seuls.

Il s'approcha d'elle. Elle voulut reculer, mais elle se heurta au comptoir. Son mari était en face d'elle. Mais en réalité, ce n'était pas son mari.

— Tu ne peux pas divorcer, *cara*, dit-il d'une voix douce.

— Bien sûr que si.

Seigneur ! Pourquoi avait-elle ce ton désespéré alors qu'elle se voulait résolue ? se lamenta-t-elle intérieurement. Il ne fallait pas dévoiler sa faiblesse à Gianni. Surtout pas !

— C'était notre accord, tu te souviens ? ajouta-t-elle.

Il promena sur sa bouche un regard ébloui.

— Je me souviens de tout, murmura-t-il en lui prenant le visage à deux mains. De tout, répéta-t-il en effleurant ses lèvres.

— Gianni, non.

— Pourquoi ? Tu es à moi. Si je veux t'embrasser, je peux.

— Je ne suis pas à toi. Je n'appartiens à personne. Je suis…

— Tu as raison. Tu n'appartiens qu'à toi-même, Briana… et je t'en aime d'autant plus.

Il l'attira contre lui. Elle se crispa. Résista. Mais quand il referma les bras sur elle, elle laissa échapper un petit soupir.

— *Cara*.

Il lui prit le menton.

— Regarde-moi. Oui. Comme ça. Avec le cœur dans les yeux.

Il eut un sourire attendri.

— Tu m'as dit que tu voulais divorcer et je t'ai crue, mais j'ai été stupide. Une femme qui se donne tout entière à un homme n'a pas envie de le quitter.

— Je ne sais pas pourquoi tu penses…

Il effleura de nouveau ses lèvres et s'attarda sur sa bouche. Elle tenta de résister, mais n'en eut pas la force. Ses lèvres s'entrouvrirent, sa main se posa sur le torse de Gianni.

— Je t'aime, Bree. Et tu m'aimes.

— Non ! Je ne t'aime pas, Gianni. Je ne sais pas pourquoi tu penses…

Il l'embrassa de nouveau et elle fut parcourue de longs frissons.

— Je suis désolé d'avoir été si maladroit le soir où j'ai essayé de t'avouer que je voulais rester marié avec toi. C'est un malentendu qui a déclenché notre querelle.

Il prit son visage entre ses mains.

— Je voulais que ma demande soit parfaite, *cara*. Je voulais te dire à quel point je t'aimais. Et t'annoncer que la *signora* avait accepté de nous laisser adopter notre petite fille…

Bree ouvrit de grands yeux.

— Oh, Gianni, murmura-t-elle. C'est vrai ?

— Oui. Et au lieu de te dire tout ça, je me suis embrouillé lamentablement. Sais-tu que ton départ a failli me briser le cœur ?

Briana noua les bras sur la nuque de son mari.

— Je pensais que t'aimer était une preuve de faiblesse. J'avais tort. L'amour que j'ai pour toi me rend plus forte. C'est mon destin.

— C'est exactement la même chose pour moi, *cara*.

Ils restèrent un long moment à se regarder dans les yeux. Puis ils entendirent le gazouillis d'un bébé qui se réveillait.

— Lucia ? dit Gianni.

— Ma mère l'appelle Lucy.

— C'est un beau prénom américain.

Il embrassa sa femme avec tendresse, puis ils allèrent ensemble chercher leur fille.

Au rez-de-chaussée, dans son bureau, Dan Coyle regardait son épouse avec perplexité.

— Je n'y comprends rien, duchesse. Notre Bree revient à la maison avec un enfant qui n'est pas à elle, elle t'annonce qu'elle est mariée à un homme dont elle veut divorcer, ce dernier arrive en tempêtant, et toi tu la laisses seule avec lui ?

Il secoua la tête.

— Ça me dépasse complètement, reprit-il, mais je suppose que tu sais ce que tu fais.

Mary Elizabeth O'Connell-Coyle, tapota la main de son mari.

— Je vais bientôt organiser un mariage, mon amour. Je suis certaine que Briana et Gianni en souhaitent un vrai, à présent que tout est réglé.

Dan la fixa d'un air ébahi.

— Qu'est-ce qui est réglé ?

— Eh bien, tout ! Nous nous aimons et nous sommes heureux. Mes six enfants sont mariés et heureux. Que demander de plus ?

Le nouveau visage
de la collection Or

◆

AMOURS D'AUJOURD'HUI

Afin de mieux exprimer sa modernité et de vous séduire encore davantage, votre collection Or a changé de couverture et de nom depuis le 1er mars 1995.

Rassurez-vous, les romans, eux, ne changent pas, et vous pourrez retrouver dans la collection **Amours d'Aujourd'hui** tous vos auteurs préférés.

Comme chaque mois, en effet, vous y attendent des héros d'aujourd'hui, aux prises avec des passions fortes et des situations difficiles...

**COLLECTION
AMOURS D'AUJOURD'HUI :**
Quand l'amour guérit des blessures de la vie...

Chère lectrice,

Vous nous êtes fidèle depuis longtemps?
Vous venez de faire notre connaissance?

C'est pour votre plaisir que nous avons
imaginé un rendez-vous chaque mois
avec vos auteurs préférés, vos
AUTEURS VEDETTE dans les
collections Azur et Horizon.

Les **AUTEURS VEDETTE** vous
donneront rendez-vous pour de
nouveaux livres vedette.

Pour les reconnaître, cherchez
l'étoile ... Elle vous guidera!

Éditions Harlequin

AUT-R-R

HARLEQUIN

LE FORUM DES LECTEURS ET LECTRICES

CHERS(ES) LECTEURS ET LECTRICES,

VOUS NOUS ETES FIDÈLES DEPUIS LONGTEMPS?

VOUS VENEZ DE FAIRE NOTRE CONNAISSANCE?

SI VOUS AVEZ DES COMMENTAIRES, DES CRITIQUES À FORMULER, DES SUGGESTIONS À OFFRIR, N'HÉSITEZ PAS… ÉCRIVEZ-NOUS À:
>LES ENTERPRISES HARLEQUIN LTÉE.
>498 RUE ODILE
>FABREVILLE, LAVAL, QUÉBEC.
>H7R 5X1

C'EST AVEC VOS PRÉCIEUX COMMENTAIRES QUE NOUS ALLONS POUVOIR MIEUX VOUS SERVIR.

DE PLUS, SI VOUS DÉSIREZ RECEVOIR UNE OU PLUSIEURS DE VOS SÉRIES HARLEQUIN PRÉFÉRÉE(S) À VOTRE DOMICILE, NE TARDEZ PAS À CONTACTER LE SERVICE D'ABONNEMENT; EN APPELANT AU (514) 875-4444 (RÉGION DE MONTRÉAL) OU 1-800-667-4444 (EXTÉRIEUR DE MONTRÉAL) OU TÉLÉCOPIEUR (514) 523-4444 OU COURRIER ELECTRONIQUE: AQCOURRIER@ABONNEMENT.QC.CA OU EN ÉCRIVANT À:
>ABONNEMENT QUÉBEC
>525 RUE LOUIS-PASTEUR
>BOUCHERVILLE, QUÉBEC
>J4B 8E7

MERCI, À L'AVANCE, DE VOTRE COOPÉRATION.

BONNE LECTURE.

HARLEQUIN.

VOTRE PASSEPORT POUR LE MONDE DE L'AMOUR.

<u>ROUGE PASSION</u>

**De fiévreuses histoires
d'amour sensuelles!**

**De provocantes histoires
d'amour passionnées et
romantiques qu'on lit d'une
seule traite. Aventureuses,
parfois humoristiques, et
sensuelles, elles mettent en
vedette des hommes et des
femmes d'aujourd'hui.**

**ROUGE PASSION...
trois nouveaux titres
chaque mois.**

GEN-RP-R

<u>COLLECTION</u>
<u>HORIZON</u>

Des histoires d'amour romantiques qui vous mènent au bout du monde!

Découvrez la passion et les vives émotions qu'apportent à la Collection Horizon des auteurs de renommée internationale!

Captivantes, voire irrésistibles, ces histoires d'amour vous iront assurément droit au coeur.

Surveillez nos trois nouveaux titres chaque mois!

GEN-H-R

HARLEQUIN

**Lisez
Rouge
Passion
pour
rencontrer
L'HOMME
DU MOIS!**

Chaque mois, vous rencontrerez un homme très sexy dans la série Rouge Passion.

On peut distinguer les livres L'HOMME DU MOIS parce qu'il y a un très bel homme sur la couverture! Et dedans, vous trouverez des histoires écrites selon le point de vue de l'homme et de la femme.

Les livres L'HOMME DU MOIS sont écrits par les plus célèbres auteurs de Harlequin!

Laissez-vous tenter avec L'HOMME DU MOIS par une histoire d'amour sensuelle et provocante. Une histoire chaque mois disponible en août là où les romans Harlequin sont en vente!

RP-HOM-R

◆ HARLEQUIN ◆

COLLECTION
ROUGE PASSION

- **Des héroïnes émancipées.**
- **Des héros qui savent aimer.**
- **Des situations modernes et réalistes.**
- **Des histoires d'amour sensuelles et provocantes.**

LAISSEZ-VOUS TENTER
par 3 titres irrésistibles
chaque mois.

RP-1-R

69 **L'ASTROLOGIE EN DIRECT**
TOUT AU LONG
DE L'ANNÉE.

(France métropolitaine uniquement)
Par téléphone 08.92.68.41.01
0,34 € la minute (Serveur JET MULTIMÉDIA).

Composé et édité par les
*éditions*Harlequin
Achevé d'imprimer en novembre 2005

BUSSIÈRE
GROUPE CPI

à Saint-Amand-Montrond (Cher)
Dépôt légal : décembre 2005
N° d'imprimeur : 52512 — N° d'éditeur : 11712

Imprimé en France